THE HARD THING ABOUT HARD THINGS

Building a Business When There Are No Easy Answers

创业维艰

如何完成比难更难的事

[美] 本 · 霍洛维茨◎著
(Ben Horowitz)

杨晓红　钟莉婷◎译

中信出版社 · CHINACITICPRESS · 北京 ·

图书在版编目（CIP）数据

创业维艰：如何完成比难更难的事 /（美）霍洛维茨著；杨晓红，钟莉婷译．—北京：中信出版社，2015.3
书名原文：The Hard Thing About Hard Things: Building a Business When There Are No Easy Answers
ISBN 978-7-5086-4664-0
I. ①创… II. ①霍… ②杨… ③钟… III. ①企业管理－经验－美国 IV. ①F279.712.3
中国版本图书馆CIP数据核字（2014）第131753号

THE HARD THING ABOUT HARD THINGS: Building a Business When There Are No Easy Answers
By Ben Horowitz

Published by arrangement with ICM Partner through Bardon-Chinese Media Agency

创业维艰——如何完成比难更难的事

著　　者：[美]本·霍洛维茨
译　　者：杨晓红　钟莉婷
策划推广：中信出版社（China CITIC Press）
出版发行：中信出版集团股份有限公司
　　　　　（北京市朝阳区惠新东街甲4号富盛大厦2座　邮编　100029）
　　　　　（CITIC Publishing Group）
承 印 者：北京通州皇家印刷厂

开　　本：880mm×1230mm　1/32　　印　　张：10　　字　　数：182千字
版　　次：2015年3月第1版　　印　　次：2015年3月第2次印刷
京权图字：01-2014-5907　　广告经营许可证：京朝工商广字第8087号
书　　号：ISBN 978-7-5086-4664-0 / F · 3217
定　　价：49.00元

服务热线：010-84849555　　服务传真：010-84849000
投稿邮箱：author@citicpub.com

谨以此书献给

费利西娅、索菲娅、玛丽亚

以及布彻一家，

感谢他们在我学习的过程中给予我的宽容和理解

目　录

前 言

这是个真实的世界，伙计，一切都结束了。

他们偷走了你的梦想，可你却不知道是谁偷的。

——美国饶舌歌手、唱片制作人坎耶 · 维斯特《灿烂》

每次我读到一本管理类或励志类书籍时，我总在想："写得不错，可他们所说的还不是真正的难题。"对于一家企业来说，真正的难题并不是设置一个宏伟的、难以实现的、大胆的目标，而是你在没有实现宏伟目标之时不得不忍痛裁员的过程。真正的难题不是聘请出色的人才，而是这些"出色的人才"逐渐滋生一种优越感并开始提出过分的要求。真正的难题不是绘制一张组织结构图表，而是让大家在你刚设计好的组织结构内相互交流。真正的难题不是拥有伟大的梦想，而是你在半夜一身冷汗地惊醒时发现，梦想变成了一场噩梦。

这些书存在的问题是，它们试图为无法可解的难题提供一个良方。但事实是，没有任何良方可以掌控错综复杂、变幻不定的局势，没有任何良方可以创建一家高新技术企业，没有任何良方可以带领一群人走出困境，没有任何良方可以制作出一系列热门金曲，没有任何良方可以助你成为全国橄榄球联盟的四分卫，没有任何良方可以让你竞选上总统，也没有任何良方可以在你的生意衰落之时激励你的团队。这才是真正的难题所在——解决这些难题，没有任何公式套路可用。

不过，有很多小小的建议和经验可以帮助大家应对这些难题。

在本书中，我要讲述的是我自己的故事以及我所经历过的磨难。作为一名企业家、CEO（首席执行官）以及风险投资家，我觉得这些经验大有用处，特别是当我和新一代创始人兼CEO们一同工作时，这种感觉尤为强烈。创建公司必然会面临许多艰难困苦，对此，我深有体会。虽然你我的经历也许不尽相同，但深层模式和经验教训总有共通之处。

在过去的几年里，我将这些经验教训写入了博客中，读者人数达数百万之多。他们中有许多人曾主动联系我，让我讲述这些经验教训背后的故事。本书将首次讲述这些故事，并加入博客中的一些相关经验教训。我的许多朋友、顾问以及我职业生涯中一直陪伴在我左右的家人给了我很多启发。同时，嘻哈音乐和说唱音乐也对我大有启发，因为嘻哈艺术家们既渴望成为艺术大师，也渴望成为当红偶像，他们视自己为创业者，其音乐中的很多主题，例如竞争、赚钱、被误解等，能让我们对一些难题有更深刻的理解。有些人正在奋力拼搏，期望建立一番伟业，希望我的故事能为他们提供些许线索和启示。

第一章 从革命者到风险资本家

这里有我的一切，

老婆，孩子，我的生活。

漆黑长夜，我曾属于这里，

我的起起伏伏，我的失足堕落，

我的痛苦磨难，我的热情，我的勇气。

——美国说唱歌手DMX《我们是谁》

前几天，我在家里举办了一个大型烧烤聚会，邀请了100位关系最亲密的朋友。这些年来，姐夫卡修和我经常组织这类聚会，我出色的烧烤技术令我在非裔美国朋友圈中赢得了“烧烤界中的杰基·罗宾森[1]”的美誉，我也因此而跨越种族界限，与他们成为亲密无间的好友。

① 杰基·罗宾森，美国职棒大联盟史上第一位黑人球员。

在那次特殊的烧烤聚会上，我们谈到了著名的说唱歌手纳斯[①]。我的朋友特里斯坦 · 沃克是一位年轻的非裔美国企业家，他自豪地说，纳斯出身于纽约皇后桥的一个住宅区，这是美国最大的公共住房项目之一，是由他负责筹建的。我 73 岁的犹太裔父亲突然插嘴道："我去过皇后桥。"父亲是白人，特里斯坦认为，他绝不可能去过皇后桥，因此说道："您说的肯定是皇后区。皇后桥实际上是一个房地产项目，就在皇后区附近，环境极差。"可我父亲坚持说："不，我去的就是皇后桥。"

我告诉特里斯坦，父亲从小就在皇后区长大，因此不可能搞混。我问父亲："您去皇后桥干什么？"他说："我 11 岁时在那里发革命传单。我记得很清楚，因为我母亲当时为这事很发愁，她觉得我那么小，干这种事太危险了。"

我的祖父母其实是真正的革命者。祖父菲尔 · 霍洛维茨是一名活跃的革命分子，在麦卡锡时代，他因此而失去了教师的工作。父亲就是在这种革命背景下出生的，他在成长过程中接触的都是"左翼"思想。1968 年，他举家西迁至加州伯克利，成为著名的"新左派"杂志《壁垒》的编辑。

因伯克利地区居民大多具有"左翼"思想，因此该地被亲切地称为"伯克利人民共和国"，我就是在这里长大的。小时候，我非常腼腆，害怕见人。母亲第一次把我送到幼儿园时，我哇哇大哭。老师让我母

① 纳斯，美国著名说唱歌手，被称为"纽约的Rap皇帝"、"东岸的领军人物"。

亲放心走开，说幼儿园的孩子这样哭很正常。可是，当母亲三小时后再回来时，发现我浑身湿透，还在哇哇大哭。老师解释说，我一直哭个不停，所以衣服才湿成这样。那天，我被幼儿园开除了。多亏母亲是世界上最有耐心的人，否则，我也许永远都无法跨进校门。当她身边所有的人都建议她对我进行精神治疗时，她依然对我充满信心，直到我对这个世界不再感到惶惑、害怕为止，无论这个过程有多么漫长。

我 5 岁时，我们全家从格伦大街一居室的房子搬到了伯尼塔大街更大一些的房子里。对一个六口之家而言，格伦大街的房子实在是太小了。伯尼塔是伯克利的中产阶级社区，但这里和大多数中产阶级社区稍有不同。这一街区混杂了嬉皮士、疯子、怪人、拼命工作的期望能跻身上流社会的下层百姓，以及因吸食毒品而堕落的上流社会人士等。有一天，弟弟乔纳森的一个名叫罗杰（化名）的朋友来我家玩儿。罗杰指着街上一个正开着一辆红色货车的非裔美国男孩儿对我说："过去，让那家伙把车让给你，如果他敢不从，你就唾他的脸，叫他黑鬼。"

在此，我有几件事需要先澄清一下。首先，我们身处伯克利，因此罗杰所用的那个词并非我们的常用语。事实上，我以前从未听说过"黑鬼"这个词，也不知道它是什么意思，只是隐约觉得这应该不是什么好词。其次，罗杰并非种族主义者，他的家庭背景并不差。他父亲在伯克利是一名教授，而且他父母都是世界上最善良的那种人。后来我们才知道，罗杰患有精神分裂症，他性格中阴暗的一面使得他想看我和那个非裔男孩儿打上一架。

罗杰的命令使我十分为难。我非常害怕他，认为如果不照他的话去做，他肯定会痛打我一顿。另外，我也害怕去要车。怎么张口啊？我害怕得要命。罗杰实在太可怕了，我简直不敢和他待在一起，于是我沿着街道向那个男孩儿走去。那段距离大约只有30码[①]，可我感觉却像30英里[②]那么长。等我走到那个男孩儿跟前时，我几乎全身僵硬，不知道该说什么。好不容易张开嘴，我脱口而出的却是："我可以开一下你的车吗？"乔尔·克拉克说："当然可以。"我转身去看罗杰的反应，他却不见了。显然，他性格中善的一面占了上风，他的兴趣已经转移到其他事物上了。那天，乔尔和我玩儿了一整天，我俩从此成了最好的朋友。18年后，他成了我婚礼上的伴郎。

直到现在，我从来没有把这件事告诉任何人，但它确实改变了我的生活。我由此认识到，害怕并不代表没有勇气，真正的行动才是最重要的。一个人究竟是英雄还是懦夫，由行动决定。我常常回想起那一天，心想，如果我当时照罗杰的话去做了，我就永远交不到乔尔这个最好的朋友了。那次经历还让我懂得，人不能光看事物的表面。要了解其人其事，必须下大功夫，否则，你只能对其一无所知。获取经验毫无捷径可循，通过个人经历所获取的那种经验更是如此。与一无所知相比，人云亦云、寄希望于捷径更不可取。

---

① 1码 = 0.914 4米。——编者注

② 1英里 = 1 609.344米。——编者注

你死定了

多年来，我竭力避免被第一印象所左右，避免墨守成规。在伯克利生活时，我是个优等生，我所在的小镇并不推崇橄榄球运动，认为其太过野蛮、暴力，大家都反对我加入伯克利高中橄榄球队，可我却偏偏不听。加入橄榄球队对我而言是迈出了一大步。我以前从未参加过任何小型橄榄球联赛，在那里，我在早期克服恐惧的经验教训让我受益匪浅。在高中橄榄球比赛中，75%考验的是你能否克服恐惧心理。

我永远不会忘记主教练奇科 · 门多萨第一次给我们召开的球队会议。门多萨教练是个久经沙场的战将，他曾在德州基督教大学参加过高校橄榄球赛，那里是所向披靡的角蛙队的大本营。在开场白中，门多萨教练说："你们中的有些人会在这里崭露头角，但不要自以为是。打球时，不要只想着要酷，如果谁敢犯浑，知道什么下场吗？你死定了！"接着，他又滔滔不绝地讲一些我们不能违反的规定："训练迟到？你死定了。不想击球？你死定了。在草坪上晃晃悠悠地散步？你死定了。管我叫奇科？你死定了。"

这是我所听到过的最刺激、最搞笑、最好听的话。我太喜欢这些话了，甚至想赶快回家告诉妈妈。我妈妈吓坏了，可我还是很喜欢。回想起来，这是我所接触的有关领导力的第一课。美国前国务卿科林 · 鲍威尔说，领导力是一种能让别人追随你的能力，即使别人只是出于好奇。我对门多萨教练接下来会说什么的确充满了好奇。

我是橄榄球队里唯一一个数学成绩优异的队员，我上的很多课和其他队友都不一样。因此，我往来于不同的社交圈子，和世界观截然不同的孩子们交往。视角的不同会令世界上所有重大事件的意义彻底发生改变，这令我惊叹不已。例如，当Run-D.M.C乐队的单曲《Hard Times》发行时，其强劲的低音鼓节奏在我所在的球队中引发了巨大的反响，但在微积分课上，却连一丝涟漪都没有泛起。对于罗纳德·里根基础技术尚不完善的战略防御计划，学校里的小科学家们产生了极大的愤慨，但对此，橄榄球队里却无人理睬。

通过不同的视角来看世界，我得以区分事实与感知的差别。这种能力在我后来成为企业家和CEO时令我获益良多。在特别严峻的形势下，当“事实”似乎已经注定了某一结果时，我会学着从截然不同的角度去寻找另一种表述和解释，以此打开我的视野。在很多情况下，另一种貌似合理的方案的存在就是为了在焦虑不安的员工心中燃起希望之火。

约会

1986年夏，结束了在哥伦比亚大学大二的学习生活后，我和父亲住在了一起。在我的朋友兼高中橄榄球队队友克洛德·肖的牵线搭桥下，我决定去约会。克洛德和我打算准备一顿丰盛的晚餐，搞个四人约会，他和他女朋友雅姬·威廉斯约会，我和费利西娅·威利约会。我和克洛德筹划了一整天，最后终于做出了一桌丰盛的晚餐，包括4个摆放得特别漂亮的带骨牛排。晚上7点钟，约会时间到了，一切准备就绪，可那两个姑娘并没有如约而至。一个小时过去了，我和克洛德依旧兴致盎然地等待着。雅姬是出了名的爱磨蹭，所以我们并不着急。两小时过去了，克洛德开始打电话了解情况。看着我们精心准备的现在已经冷冰冰的美味大餐，我简直不敢相信我的耳朵。我的约会对象费利西娅说她太累了，不能来赴约。噢！真是太可气了！

我让克洛德把电话给我，开始自我介绍。

我：嗨，我是本，你的约会对象。

费利西娅：实在抱歉，我很累，而且现在已经很晚了。

我：的确有点儿晚，可正是因为你，我们才搞得这么晚。

费利西娅：不好意思，我真的太累了，实在不想过去。

我：听着，我理解你现在的状况，但我们花了一整天精心准备晚餐，你为什么不提前告诉我们你不能赴约呢？就这一点而言，除非你坐车立刻赶到这里，否则你的任何行为都是无礼的，会给我永远留下糟糕的印象。

费利西娅：那好吧，我马上过去。

一个半小时后，费利西娅穿着白色短裤来了，看起来漂亮极了。那天，我的注意力全部放在了约会上，对约会充满了期待，前一天打架的事早被我抛到了九霄云外。在圣费尔南多谷举行的一次即兴篮球赛期间，一个身高 6.2 英尺[①]、留着运动员式的平头、穿着迷彩裤、

① 1 英尺 = 0.304 8 米。——编者注

看着像是兄弟会成员的家伙把球砸向了我弟弟。我弟弟乔纳森喜欢音乐，留着长发，当时体重为155磅[①]左右。而且，由于经常打橄榄球，我已习惯了随时采取对抗行动。我在第一时间对形势进行了判断，然后就冲向那个家伙。我俩扭打起来。我狠狠地给了他几记重拳，但我的左眼下方也挨了他一记右勾拳，留下了一点印记。挨我打的这个家伙也许只是对严重犯规十分恼火而已，本意并不是要欺负我弟弟，这就是不花时间了解情况所付出的代价。可惜，那时的我并不明白这个道理。

不管怎样，我开门迎接来约会的姑娘们时，费利西娅迷人的绿色眼睛立刻注意到了我左眼下方的瘀痕。她对我的第一印象（多年以后她才告诉我）是："这家伙是个暴徒，今晚真是白来了。"

好在我和费利西娅都没有靠第一印象取人。自结婚以来，我们幸福地生活了将近25年，有了三个非常出色的孩子。

硅谷

大学期间的一个夏天，我得到了一份工作，在一家名叫硅谷图形（SGI）的计算机公司当工程师。这段经历令我兴奋不已。这家公司发明了现代计算机图形并为一套全新的应用程序提供驱动，例如，电影《终结者2》中令人惊叹的飞行模拟器。公司里的每个人都才华横

① 1磅 = 0.453 592 37千克。——编者注

溢，极具创造性。那时我想，我一辈子都要在硅谷图形公司工作。

大学毕业后，我继续读研究生，专业是计算机科学。研究生毕业后，我如愿去了硅谷图形公司工作。这是我的梦想，我非常热爱这份工作。工作一年以后，我遇到了公司营销部门的一位前负责人——罗斯丽·博尔诺罗，她刚开办了一家公司。罗斯丽从她女儿那里听说过我，她女儿是我的同事。因此，她拼命拉我入伙。最终，她成功了。我跳槽到了NetLabs公司，成了她的下属。

事实证明，加入NetLabs公司对我而言是个极糟糕的决定。这家公司的经营者是安德烈·施瓦格尔——惠普公司的一位前高级主管，更重要的是，他是罗斯丽的丈夫。安德烈和罗斯丽是作为“专业管理团队”被风险资本家引进公司的。但不幸的是，二人对产品和技术知之甚少，一次又一次地使公司偏离正轨。我第一次明白创始人经营公司的重要性。

更糟糕的是，我的二女儿玛丽亚被诊断出患有孤独症，而我在创业公司工作对我的家庭而言成了一个很大的负担，因为我需要花更多时间待在家里。

有一天，天气非常炎热，父亲过来看我们。我们用不起空调，在40多摄氏度的高温中，我和父亲坐在那里汗流浃背，三个孩子在哇哇大哭。

父亲转向我，说：“儿子，你知道什么东西便宜吗？”

我根本不清楚父亲在说什么，于是回答说：“不知道，是什么呢？”

“鲜花。那你知道什么东西最贵吗？”他问。

我仍旧回答："不知道，是什么呢？"

他说："离婚。"

这番玩笑话——其实并非真的玩笑话——令我意识到我已经白白消耗了太多时间。直到那一刻之前，我从未真正做出过任何重大选择。我觉得我精力无限，生活中，我可以同时做很多事情，但父亲的这番话却突然令我明白，如果沿着现在的轨道继续前进，我也许会失去自己的家庭。所有事情一起抓，就会在最重要的事情上遭遇失败。我第一次迫使自己不要只按轻重缓急的标准来看世界。过去的我一直以为，自己既能干好事业，又能兼顾所有的兴趣爱好，同时还能维护好家庭。而且，我总把自己摆在首位。当你成为某个家庭或某个团体的一分子时，这种思维方式会令你陷入麻烦。在我心里，我坚信自己是个好人，毫不自私，但我的所作所为却暴露出我并非这样的好人。我绝不能像这样继续幼稚下去，我必须分清主次轻重，成熟起来。我必须先考虑自己最关心的人，然后再考虑自己。

我决定第二天就从NetLabs公司辞职。后来，我在莲花公司（Lotus Development）找到了一份工作，这份工作可以让我很好地顾及自己的家庭生活。我不再只关注自己，而是将更多的精力投入家庭生活，我开始朝着自己希望的方向改变自己。

网景公司

我在莲花公司上班时，有一天，一位同事给我看了一款名叫

Mosaic的新产品，该产品的研发者是伊利诺伊大学的几名学生。Mosaic实质上是互联网的一个图形化界面，以前只有科学家和研究人员使用。这项技术令我惊叹不已，它代表了未来，而我则一直在浪费时间，没把时间用在对的地方——互联网。

几个月后，我了解了网景公司（Netscape）的一些情况，该公司由硅谷图形公司创始人吉姆·克拉克和Mosaic发明者马克·安德森共同创建。我立即决定去该公司面试。我给一个在网景公司工作的朋友打电话，问他能否帮我安排一次面试，他欣然应允，我则开始着手准备。

在前几轮面试中，我见到了产品管理团队的所有成员。原以为面试会很顺利，可当我晚上回到家里，却发现费利西娅眼泪汪汪。原来，网景公司的招聘经理曾打电话来，告诉费利西娅，我不可能得到这份工作，因为他们团队要找的是具有斯坦福大学或哈佛大学工商管理硕士学位的高才生。费利西娅建议我重返校园获取学位，但考虑到我们还有三个孩子，这一建议并不现实，因此她才百般纠结地哭了起来。我解释说，他们招聘的又不是经理，虽然我没有他们所需要的商学院背景，但他们没准儿会考虑我的。

第二天，招聘经理又打电话告诉我，他们想让我接受公司创始人兼首席技术官马克·安德森的面试。马克当时只有22岁。

回想起来，人们很容易认为，网络浏览器和互联网是大势所趋，但是如果没有马克的贡献，我们所生活的世界可能会完全不同。当时，大多数人都认为，只有科学家和研究人员才会使用互联网。人们认为，互联网过于神秘难懂，不够安全，不符合真正的商业发展需求。即便在引入了世界上第一个浏览器Mosaic之后，几乎还是没有人认为，互联网会在科学研究领域以外产生重大影响，那些重要技术产业领域中的领导者们尤其这样认为，他们一直都在忙着创造专有替代产品。他们最喜欢做的事，就是与诸如甲骨文和微软这样的行业巨头在专有技术领域展开竞争，并在竞争中牢牢占据主导地位，创造所谓的信息高速公路（一个将所有商业活动和消费者连接在一起，创造一个无障碍商业世界的网络）。他们的各种传奇故事令商业媒体极尽想象之能事。这并没有什么奇怪的，因为大多数公司都不运行TCP/IP（互联网的软件基础）协议，而是用网络协议，例如可路由协议组（AppleTalk）、网络基本输入输出系统（NetBIOS），以及系统网路架构（SNA）。直到 1995 年 11 月，比尔 · 盖茨写了一本书《拥抱未来》。他在书中预测，信息高速公路将顺理成章地成为互联网的接班者，主宰未来。盖茨后来将引用的信息高速公路改成了互联网，但那并非他的原创性预见。

这一合理预见蕴含着一些对商业或消费者不利的暗示。在诸如比尔 · 盖茨和拉里 · 埃里森这样的远见者心里，无论哪家公司拥有了信息高速公路，该公司都会通过“抽头”的方式对每笔交易收税，时任微软首席技术官的南森 · 麦沃尔德当时就曾提到这一点。

要高估信息高速公路所具有的强大推动力并不容易。Mosaic浏览器诞生之后，一开始，就连马克与其合伙人吉姆 · 克拉克都计划要通过信息高速公路而非互联网开展一项视频分享业务。直到该计划逐步深入之后，他们才清晰地看到，通过改进浏览器，使其更安全可靠、功能更完善、操作更简便，他们能够使互联网在未来独占鳌头。这因此成了网景公司的使命——一项他们终将光荣完成的使命。

马克对我进行的面试与我以前经历过的面试完全不同。他并没有问我有关简历、职业经历以及工作习惯的问题，而是问了一堆令我应接不暇的有关电子邮件的历史、协作软件，以及该行业未来可能的发展方向这样的问题。好在这些问题难不倒我，因为此前几年，我一直都在和与此相关的主导产品打交道。不过，这个22岁的毛头小子还是把我镇住了，他在计算机业务发展史方面博闻广记，实在令我叹服。在我的职业生涯中，我见过很多才华横溢的年轻人，却从未见过像他这样的技术领域的年轻历史学家。马克超众的才华和敏锐的直觉令我目瞪口呆，其渊博的历史知识表明，他对诸如复制之类的技术常常有着极为深刻和准确的洞察力。面试结束之后，我打电话告诉我弟弟，我刚接受了马克·安德森的面试，他也许是我见过的最聪明的人。

一周以后，我被录用了。我非常兴奋。我对公司给我的报酬并不十分在意，我知道马克和网景公司总有一天会改变世界，我想成为他们中的一员，迫不及待地想要投入工作。

在网景公司，我负责公司的企业网络服务器产品线。该产品线包含两个产品：一是普通网络服务器，上市价格1 200美元；二是安全网络服务器（含当时网景公司所发明的全新安全协议的网络服务器，该安全协议名叫SSL，即安全套接层），上市价格5 000美元。我加入公司时，已有两位工程师负责研发网络服务器，一位是发明了NCSA

网络服务器的罗布 · 麦库尔，另一位是他的孪生兄弟迈克 · 麦库尔。

到 1995 年 8 月网景公司上市，我们的网络服务器团队已拥有 9 名工程师。网景的首次公开募股大获成功，并且极具历史意义。公司股票的初始价格是每股 14 美元，但最后关头的一个决定令初始价格一下子涨到了每股 28 美元。之后，公司的股票价格又暴涨至每股 75 美元（几乎创造了首日收益的新纪录），最后以每股 58 美元收盘，当天为网景公司创造了将近 30 亿美元的市值，在业界引发了一场地震。正如我的朋友兼投资银行家弗兰克 · 夸特隆所说："没有人愿意告诉自己的后代，自己错过了这样一件大事。"

首次公开募股的成功改变了一切。微软在其首次公开募股之前已在业界打拼了十几年，而我们才开张 16 个月。人们开始给公司贴上"新经济"或"旧经济"的标签，而且，新经济渐渐占了上风。《纽约时报》称网景公司上市为"惊天动地"。

但我们高兴得太早：微软随即宣布，要将其浏览器 Internet Explorer 和其即将发布的突破性操作系统 Windows 95 捆绑在一起，而且免费开放使用。这对网景而言不啻当头一棒，因为我们的所有收入几乎全部来自浏览器的销售，而且微软掌控着 90% 以上的操作系统。我们给投资者的回答是：我们会通过网络服务器把钱赚回来。

两个月后，我们得到了微软即将发布的网络服务器 IIS（互联网信息服务）的早期版本。我们对 IIS 进行拆解，发现它所具有的每一个特性，我们的服务器都有，包括高端产品的安全性能，而且我们的服务器速度比它快 5 倍。可是，我发现，赶在微软发布 IIS 之前，我们只有大约5个月的时间来解决这个问题，否则我们只能任人宰割。在“旧经济”中，产品的更新周期一般需要18个月，即使是在“新经济”中，5个月的时间也过于仓促。于是，我去见了部门负责人迈克·荷马。

也许除了马克之外，迈克·荷马是网景幕后最具创造力的人物。更奇特的一点是，局势越不利，迈克就越坚强。在遭受特别残酷的竞争性攻击期间，大多数高管都对媒体敬而远之，但迈克却总是挺身而出。当微软推出其著名的“兼收并蓄、独树一帜”策略（攻击网景的一个核心策略）之时，迈克对打来的电话照单全接，有时甚至一手拿一部电话，同时和两个记者通话。他堪称是一位终极战士。

在接下来的几个月里，迈克和我一直在苦思一个周全之策，以应对微软的威胁。如果微软曝光我们的产品，我们就给极其昂贵的微软专有后台（Microsoft BackOffice）产品线提供一个白菜价的开放替代产品。为此，我们收购了两家公司，这一收购为我们带来了一款有竞争力的产品，用以替代微软交流群组软件（Microsoft Exchange）。接着，我们大幅减少与英孚美公司（Informix）的交易，旨在通过网络对关联数据库进行不限次数的访问和复制，每复制一次收取50美元，这个价格实际上比微软的要价便宜数百倍。有一次，我们组装起了整个数据包，迈克把它命名为“网景SuiteSpot”，因为“Suite”将会取代微软的后台。一切都布置妥当，只等1996年3月5日在纽约实施这项重大计划。

就在实施计划前两周，马克在没有告知迈克和我的情况下，向

《电脑经销商新闻》杂志和盘托出了整个计划。我气得脸色铁青，立刻给他发了一封简短的电子邮件：

> 收件人：马克 · 安德森
> 抄　送：迈克 · 荷马
> 发件人：本 · 霍洛维茨
> 主　题：计划
>
> 我认为我们本应在 5 号执行计划。
>
> ——本

不到 15 分钟，我收到了下述回复。

> 收件人：本 · 霍洛维茨
> 抄　送：迈克 · 荷马，吉姆 · 巴克斯代尔（CEO），吉姆 · 克拉克（主席）
> 发件人：马克 · 安德森
> 主　题：回复：计划
>
> 显然，你根本就不清楚现在的局势有多严峻。我们正被人一刀一刀地宰割，刀刀致命。我们的产品与竞争对手相比，完全就是垃圾。数月以来，我们一直缄口不言。这样的下场就是，我们已经损失了 30 亿美元的资本市值。现在，我们就快保不住整个公司了，而这全都拜服务器产品管理部门所赐。
>
> 下次，你自己去做那个狗屁访谈吧。
>
> 去你的！
>
> ——马克

我收到这封邮件的当天，马克以光着脚丫、稳居宝座的形象出现在《时代》杂志的封面上。看到这个封面时，我异常激动。此前，我还从未和上过《时代》杂志封面的人物打过交道。但紧接着，我又感到一阵难受。我把这本杂志和邮件拿回家给费利西娅看，想听听她的意见。那时，我很焦虑。我已经 29 岁了，有妻子，还有三个孩子，我需要一份工作。费利西娅看了看邮件和杂志封面，说道："你应该立刻开始找工作。"

最终，我没有被开除。在接下来的两年里，网景 SuiteSpot 从零开始，一跃创造了每年 4 亿美元的交易额。更令人不可思议的是，马克和我最后成了好朋友。从此以后，我们一直都是好友兼合作伙伴。

人们经常问我，我们两人在 18 年里更换了 3 家公司，却一直保持着极高的工作效率，这是怎么做到的。大多数合作关系要么过于紧张而令人难以忍受，要么紧张不足而缺乏效率。人们要么相互挑战，导致彼此交恶，要么陶醉于彼此的奉承之词而无所受益。就我和马克而言，即使是 18 年后的今天，他依然对我的想法吹毛求疵，让我感到烦恼，我对他亦是如此。但事实证明，这种方式对企业的发展有益无害。

创建公司

1998 年年末，在微软所施加的巨大压力之下（微软充分利用其在操作系统领域的垄断地位，对网景公司参与竞争的所有种类的免费产品施行补贴政策），我们把公司卖给了美国在线公司（AOL）。短期来看，这是微软的一大胜利，因为其最大的威胁已被赶跑并投入了一个远远无法与其抗衡的竞争对手的怀抱。然而，长远来看，网景公司已对微软在计算机行业坚如磐石的地位造成了极具破坏力的冲击：我们的努力使得研发者们从Win32 API（Win32 应用程序界面），即微软的专有平台，转向了互联网。为计算机编写新功能的人不再为微软专有平台服务，转而开始根据互联网和万维网的标准界面进行编写。一旦微软失去对研发者的掌控，那么它在操作系统领域的龙头地位迟早不保。多年来，现代互联网的许多基础性技术都是网景公司发明的，包括JavaScript（一种程序语言）、SSL，以及cookies（信息记录程序）。

到了美国在线公司以后，我负责运作电子商务平台，马克成了首席技术官。几个月后，我们明显感觉到，美国在线公司更倾向于将自己定位为一个媒体公司，而不是一个技术公司。技术使得许多大型新媒体项目得以实现，但其策略却是一个媒体策略，因为最高行政官鲍勃 · 皮特曼是个天才的媒体管理者。媒体公司专注于创造精彩故事，而技术公司则专注于创造更好的做事方式。我和马克开始思考新的点子，打算创建一家新公司。

在这个过程中，我们又吸纳了两位有潜力的联合创始人参与讨论。蒂姆 · 豪斯博士是LDAP（轻型目录访问协议）的发明人之一，LDAP是错综复杂的X.500[①]的巧妙简化版。1996 年，我们雇用蒂姆加入网景公司，他和我们一起成功地使LDAP成为互联网的目录标

① X.500 是一个将局部名录服务连接起来，构成全球分布式的名录服务系统的协议。

准。直到今天，如果某一程序对某人的相关信息感兴趣，它就可以通过LDAP访问这些信息。我们团队的第4名成员名叫尹·希克·瑞伊，他曾参与创建过一个名为“基瓦系统”的应用程序服务器公司，该公司后被网景公司收购。尹·希克一直在我负责的电子商务部门担任首席技术官，和我们的伙伴公司保持密切合作，以确保它们能够把握美国在线公司的标准。

我们讨论时，尹·希克抱怨说，每次我们想努力和美国在线电子商务平台上的美国在线建立联系时，该合作伙伴的网站就会崩溃，因其无法解决网络交通拥堵问题。

向数以百万计的用户部署软件与向几千名用户部署软件完全不同，这是项极其复杂的工作。

好吧，应该有一家公司来为他们解决所有的问题。

当我们不断完善这一想法时，我们发现了“云计算”这一概念。以前，“云”是电信行业术语，被用来描述能够处理所有复杂的路由、计费等问题的智能云，只要将非智能设备连入智能云中，它就可以免费获得所有的智能功能。我们认为，这一概念同样可以应用在计算机领域，这样软件研发人员就不必担心安全性、标准性以及崩溃修复这些问题了。如果打算建立一个云，那么它的名字应该庞大而响亮，这就是Loudcloud公司的由来。有趣的是，Loudcloud公司留存最久的就是这个名称本身，因为“cloud”（云）这个词以前从未被用来描述一个计算机平台。

我们组建了公司，开始筹集资金。当时是1999年。

第二章　Loudcloud沉浮录：我会活下去

你以为我会崩溃吗？

你以为我会坐以待毙吗？

噢，不，我不会。

我会活下去。

——美国黑人女歌星格洛丽亚·盖纳《我会活下去》

随着网景公司的成功，马克结识了硅谷所有的顶级风险资本家，我们不再需要引荐。对我们而言，不幸的是，凯鹏华盈（Kleiner Perkins）公司——网景公司的支持者——已将资金投给了我们的一个潜在竞争对手公司。和其他所有的顶级公司交谈之后，我们决定将标杆资本公司（Benchmark Capital）的安迪·雷克里夫作为突破口。

如果我必须用一个词来描述安迪的话，这个词就是“绅士风度”。安迪聪明、优雅、亲切，具有极强的抽象思维能力，他能轻而易举地将极复杂的策略用极简练的句子表述出来。标杆资本公司计划向我们这家投资前估值为 4 500 万美元的公司投资 1 500 万美元。此外，马克本人也将投资 600 万美元，此举将使我们公司的总价值（包括货币资金价值在内）提升至 6 600 万美元，同时马克将出任公司的全职董事会主席，蒂姆 · 豪斯担任首席技术官，我则出任CEO。至此，Loudcloud公司诞生刚满两个月。

公司的规模和资金的估值要求我们必须和时间赛跑，赶在资金同样雄厚的竞争对手之前尽快壮大并抢占市场。安迪曾对我说："本，好好想想，如果资本是免费的，你会如何运作。"

两个月后，我们从陷入债务危机的摩根士丹利投资公司额外筹集到 4 500 万美元，而且三年之内不需要签订契约，也不必偿付，因此安迪所提的这个问题要比我们想象得更现实。尽管如此，"如果资本是免费的，你会如何运作"依然是企业家面临的一个至关重要的问题。这情形有点儿像问一个胖人："如果冰淇淋的营养价值和花椰菜完全相同，你会怎么办？"这个问题所引发的思考有可能极其危险。

自然而然地，我接受了这个建议并按照这个建议开展工作。我们很快就建起了自己的云基础设施，签约客户的数量开始快速增长。公司创建短短 7 个月，我们已经签订了 1 000 万美元的合同。Loudcloud公司正在腾飞，而我们为了在竞争中胜出，正在和时间赛跑。这意味着我们要雇用最优秀的人才，最大限度地保证云计算服务的顺畅进行，这还意味着要花钱——大笔大笔地花钱。

我们雇用的第 9 名成员，其职责是为我们招募人才，当我们手下有了十几名员工时，我们雇用了一个人，负责管理人力资源。我们在一个月内就招募了30名员工，硅谷许多最优秀的人才都被我们网罗到了公司。我们新招募的一位员工之前曾辞去了美国在线公司的工作，这两个月一直在爬山，没想到他加入了我们公司。还有一位新员工在其公司上市当天辞职加入Loudcloud公司，为此他被罚款数百万美元。6个月里，我们的员工数增加到了200人。

整个硅谷炸开了锅，《连线》杂志在其题为《马克·安德森再展雄风》的封面报道中对Loudcloud公司进行了宣传介绍。我们用第一间办公室（在这间办公室里，只要你同时使用微波炉和咖啡机，电路就会被烧坏）在森尼维耳市换得了一个1.5万平方英尺①的大仓库，可等我们搬过去时，该仓库对我们而言已经太小了。

我们又花500万美元买了一栋新的、贴有玉色瓷砖的三层灰泥办公大楼，并将其称作“泰姬”，因其和泰姬陵颇为相似。不过，这栋办公楼还是太小，跟不上我们火爆的人才招募节奏，前来应聘的人挤满了走廊。我们沿街又租用了一个停车场，货车不停地穿梭于货场和办公楼之间。（相邻的公司都快恨死我们了。）我们的厨房里应有尽有，简直就像一家好市多（Costco）②超市。我们的零食承包商把我们的冰箱弄得像菲利普·罗斯在《再见了，哥伦布》一书中所描述的那台冰箱，为此，我们炒了他的鱿鱼，他提出要回股权。

① 1平方英尺＝0.092 903平方米。——编者注

② 好市多是美国最大的连锁会员制仓储量贩店，在2009年是美国第三大、世界第九大零售商。

这时，局势发生了变化。

到了下一个季度，我们签订了价值 2 700 万美元的新合同，此时，公司成立还不满 9 个月。看情形，我们似乎开创了有史以来规模最大的业务。然而，接踵而至的却是互联网泡沫的破灭。2000 年 3 月 10 日，纳斯达克指数达到峰值 5 048 .62 点——其市值比前一年翻了一番多——仅仅 10 天以后，这一指数即从峰值迅速下跌了 10%。《巴伦周刊》题为《火势已起》的封面报道对即将出现的经济格局进行了预测。到了 4 月，政府宣称微软实行了垄断，之后纳斯达克指数进一步直线下跌。创业公司和投资者们损失惨重，曾被看作是新经济的曙光而大受热捧的网络公司几乎在一夜之间全都破产倒闭，成为人们口中的“网络炸弹”。纳斯达克指数最终跌破 1 200 点，跌幅达 80%。

我们认为，我们的业务在当时也许是有史以来增长速度最快的，这是个好消息。但坏消息是，我们需要筹集更多的资金来应对这一灾难性局面。我们筹集到的价值 6 600 万美元的股票和债券几乎全部配置殆尽，用以建立最好的云计算服务，支撑我们现在快速增长的客户群。

互联网泡沫的破灭令投资者们吓破了胆，因此筹集资金并非易事，而且我们的大多数客户都是互联网创业公司，筹集资金对我们来说更是难上加难。当我们向日本软银资本公司（Softbank Capital）大力推销服务之时，这一点表现得十分明显。我的朋友——Loudcloud 公司董事会成员比尔 · 坎贝尔——在软银资本公司内部有熟人，我们向软银资本公司推销服务之后，他主动提出去打探一些“幕后”信息。当比尔打来电话时，我迅速接起了电话，急切地想知道推销结果。

我问："比尔，他们怎么说？"比尔用那粗糙刺耳、教练派头一样的声音回答说："本，老实说，他们以为你在吸毒。"当时，我们有将近300名员工要养活，公司资金已所剩无几，我觉得自己已经快撑不下去了。作为Loudcloud公司的CEO，这是我第一次产生这种感觉，但肯定不是最后一次。

在此期间，我学到了最重要的集资规则：寻找一个统一市场，其中只要有一个投资者点头，即可功成，其他30位投资者即便全都摇头拒绝也无关紧要。我们最终以惊人的、高达7亿美元的投资前预估价值为C轮投资找到了投资者，由此筹集到了1.2亿美元的资金。该季度的销售预期高达1亿美元，一切看起来似乎没什么问题。考虑到此前的销售预测曾低估了实际的销售表现，我坚信，该季度的销售预测完全合理。我甚至认为，我们也许可以巧妙地引领客户群躲开互联网炸弹，把他们带入更稳定的传统客户群中，例如耐克（当时，它是我们最大的客户）。

可是，接下来的结果并未如我们所愿。

2000年第三季度，我们只完成了3 700万美元的销售额，与我们所预测的1亿美元的销售额相差甚远。最终结果表明，互联网泡沫的破灭所造成的灾难性后果远远超出了我们的预期。

欢乐和恐惧

我需要再次筹措资金，只是这次的形势更加糟糕。2000年第四季度，我拜访了每一个有可能为我们提供资金的人，包括沙特阿拉伯王子瓦利德·本·塔拉勒，但无论估值多少，没有一个人愿意投资。仅仅6个月的时间，我们这家创业公司已经从硅谷最炙手可热的云端跌落到投资者避之唯恐不及的深渊。477名员工等着发工资，而我们的服务就像一颗定时炸弹，没人敢碰，怎么办？我在苦苦寻找对策。

如果我们的资金全部用完，后果会怎样呢？——把我精挑细选招募而来的员工全部辞退，将所有投资者的钱赔得一干二净，置所有信任我们并和我们合作的客户于险境——每当想到这些，我就心情烦躁，很难集中精神思考对策。马克为了让我振作起来，给我讲了一个当时并不太可笑的笑话：

马克：你知道创业公司的最大好处是什么吗？

本：是什么？

马克：就是让你体验两种情绪：欢乐和恐惧。我发现，睡眠不足会令这两种情绪更加强烈。

时钟在嘀嗒作响，一个不太起眼却有趣的办法渐渐浮现出来：我们可以上市。当时，有一种很奇怪的现象，私人融资市场对我们这样的公司大门紧闭，但公开市场却对我们虚掩着一扇窗。这听起来也许很疯狂，不合常理，事实也的确如此，私人资金已对我们完全失去了信任，而公开市场只有80%的人会如此。

由于无路可走，我打算向董事会提议：让公司上市。在准备过程中，我将上市的利弊一一列举了出来。

我知道，比尔·坎贝尔是个关键人物，我必须想办法说服他。比尔是董事会成员中唯一一位曾在上市公司中担任过CEO的人，他比任何人都更清楚公司上市的利弊。更重要的是，每当陷入困境时，所有人似乎总会倾向于听从比尔的意见，因为他身上有一种特殊的品质。

当时，比尔已经60多岁了，头发灰白，声音粗钝，却仍像20岁的小伙子一样精力充沛。最初，他是一名大学足球教练，40岁才进入商界。尽管入行较晚，但最终却登上了财捷集团（Intuit）[①]CEO的宝座。此后，他成为高科技领域的一个传奇，为多位大名鼎鼎的CEO提供过指导，例如苹果公司的史蒂夫·乔布斯、亚马逊公司的杰夫·贝佐斯，以及谷歌公司的埃里克·施密特。

比尔极其精明，具有超凡的魅力，堪称业务精英，但这些特质却并非其成功的关键。他的成功是因为，无论身居何处，担任何职——他曾在苹果公司董事会效力10多年、在哥伦比亚大学董事会任主席，以及在“美妆女孩”足球队担任教练——他都是大家最喜欢的人。

比尔的人缘为何如此之好，大家的解释五花八门。不过在我看来，理由很简单。无论你是谁，你的一生都需要两类朋友。第一类是当你遇到好事时，你可以打电话与之分享喜悦的朋友。他的喜悦不是那种蒙着羡慕、嫉妒面纱的虚假喜悦，而是发自内心的真诚喜悦。他会比

① 财捷集团，位于硅谷山景城，是一家以财务软件为主的高科技公司。

好事发生在他自己身上更高兴。第二类是当你身陷困境时，你可以打电话与之分担、向其倾诉的朋友。比如当你危在旦夕，只能打一个电话时，你会打给谁呢？比尔 · 坎贝尔兼具这两类朋友的特质。

我陈述了一下自己的想法：我们在私人市场上已找不到任何投资者。我们要么继续在私人投资市场上想办法，要么就准备上市。一方面，我们认为，私人集资的前景不容乐观；另一方面，上市也存在大量问题：

- 我们的销售流程并不完善，公司很难针对不同局势做出预测。
- 我们的市值在快速下跌，最低点在哪里尚不清楚。
- 我们的客户正以一种惊人的、不可预测的速度破产。
- 我们正在赔钱，而且在相当长一段时期内，我们将继续赔下去。
- 我们在经营上并不完善。
- 总而言之，我们尚未做好上市的准备。

董事会听得非常认真，从他们的表情可以看出，他们对我提出的这些问题非常关心。接下来是漫长的、难挨的沉默。正如我所料，比尔打破了这片沉寂。

“本，这不是钱的问题。”

我感到一阵莫名的轻松。也许，我们还没到非上市不可的地步；也许，我把资金问题看得过于严重了；也许，我还有第三条路可走。

接着，比尔又说道：“这就是他妈的钱的问题。”

我想，我们必须上市了。

除了我给董事会列举的这些问题之外，还有一个问题是，我们的业务非常复杂，投资者们很难搞明白。通常，我们和客户签订的是为期两年的合同，然后按月确认收益。这一模式现在很常见，但在当时却极不寻常。鉴于我们预售额的快速增长，收益总会落后于新订单一大截。因此，我们在S-1（我们在美国证券交易委员会的注册证）上写明，我们在随后6个月的收益是194万美元，预计下一年的收益是7 500万美元——令人难以置信的收益增长幅度。由于利润受收益而非订单推动，因此我们蒙受了巨大的损失。此外，当时的股票期权规则使我们的损失看起来似乎是实际损失的3倍。所有这些因素使得媒体对我们公司上市进行了极其负面的报道。

例如，《红鲱鱼》（*Red Herring*）[①]上一篇措辞犀利的报道指出，我们的客户名单"非常薄"，我们对网络公司过于依赖。该报道援引扬基集团（Yankee Group）一位分析师的言论，断定我们"在过去的12个月里损失惨重，每位员工都损失了100万美元"，并猜测我们之所以落得如此下场，是因为我们在停车场点燃了篝火，驱使所有人大把大把地烧美元。《商业周刊》的一篇文章把我们说得一无是处，宣称我们是"来自地狱的新股"。《华尔街日报》的封面报道引述了一名资金经理对我们的新股所说的话："哇哦，他们已经无路可走了。"一位金融家——此人其实投资了我们的新股——称我们的举动为"一堆糟糕无比的下下策中的上策"。

---

① 《红鲱鱼》是最知名的互联网投资、技术杂志之一。该杂志于1993年创刊，多年来被创投界誉为"硅谷圣经"。

尽管媒体恶评如潮，我们依然坚定地准备上市。为了和同类公司有所区分，在随后实行反向股票分割[①]方案之后，我们将新股定价为每股10美元，这样一来，公司的市值虽不足7亿美元，低于前一轮私人融资的估值，但总比破产要好得多。

这次新股发售能否令我们起死回生，我们完全不得而知。股票市场正在崩溃，我们拜访过的公开市场的投资者们一个个都垂头丧气。

在准备过程即将结束，银行已签字同意之后，我们的财务总监斯科特·库珀接到摩根士丹利投资公司一位银行家打来的电话。

银行家：斯科特，你们资金中有2 760万美元是限制用途资金，而且还与房地产委托书捆绑在一起，这些你知道吗？

斯科特：我当然知道。

银行家：也就是说，你们的资金只够维持三周，然后就该破产倒闭了吗？

斯科特：没错。

斯科特一边将电话转给我，一边说："你相信吗？他们都已经签字认购了，竟然到现在才发现资金是受限的。所有的文件，我们早就交给他们了。"

就在我们即将出发，开展首次公开募股路演之时，我召集了一次公司全体会议，告诉大家两点：第一，我们即将上市，或者说至少我

① 反向股票分割：指将公司已发行的股份数量缩小至少量股份，而股东所持股份的比例不变，这不会对股东造成损失。通常，这只在股价较低时出现。

们打算尝试着上市；第二，公司市值下跌得非常严重，因此，我们不得不实行二合一合股的反向股票分割方案。

我认为，关于第一点，大家应该没有异议，我担心的是第二点。我们必须采取反向分割方案，以抬高每股的价格，使公司达到上市要求。从理论上说，反向分割根本不会影响股东的利益。每位员工都持有一定比例的股份，公司掌握着股份的总量。用所持股份百分比乘以股份总数，结果即为员工所持的股份数额。将股份总量减半后，员工所持股份的数量虽然也随之减半，但其所持股份的比例并不会发生改变。

噢，不对，公司还是有一些改变的。我们从零开始，在短短不到18个月的时间内，逐渐发展壮大到拥有600名员工，因此企业内部难免会滋生一些浮夸之词。有些过于兴奋的管理者夸大宣传，张口闭口只提股份数量，忽视股份比例，谎称每股股价有可能高达100美元。于是，员工们开始盘算自己幻想中的每股股价，并据此计算自己究竟能赚多少钱。我注意到了这一切，但从未想过我们会反向分割股票，因此，我对这一切一点儿也不担心。可是，与那段时期我所搞砸的其他事情一样，如果我对此现象早有警觉就好了。

费利西娅像往常一样参加了公司的全体会议。当时，我岳父岳母正好在城里，因此也双双参加了这次会议。会议进行得并不顺利。大家都没有意识到破产离我们已近在咫尺，因此，公司上市的决定并没有让大家高兴起来，反向分割股票的提议更是让大家郁闷不已——事实上，大家对此不是郁闷，而是愤怒。会上，我将他们所幻想的股票总数削减了一半，他们对此非常不满。没有人当着我的面说难听的话，可我岳父岳母却听到了一些风言风语，我岳父对我说：“情况不妙啊。”

岳母洛蕾塔问我妻子：“为什么每个人都这么仇恨本？”不管在任何场合，费利西娅通常都很有活力、很开朗，不过这时的她刚刚做过疝气手术，正在恢复当中，因此不像往常那样精神抖擞。她很沮丧，岳父岳母的情绪也很低落，员工们都怒气冲冲。我不知道自己是否能筹集到资金。用什么办法来启动新股的路演呢？这种活动通常都会搞得声势浩大，排场十足。

此时，搞新股路演非常冒险。股市每天都在崩盘，罪魁祸首就是科技股。我们到场时，投资者们一个个看起来就像是刚从审讯室里被放出来的一样。一位共同基金经理看着马克和我，问道：“你们到这里来干什么？全世界现在出了什么事，你们知道吗？”我觉得我们没有办法筹到资金了，我们肯定要破产了。在整整三周的路演期间，我每天的睡眠时数不超过两小时。

路演进入第三天时，我接到了岳父打来的一个电话。在过去的71年里，我的岳父约翰·威利可谓历经坎坷。他小时候，父亲在得克萨斯州被人谋杀。为了生存，他和寡母与一个刻薄的男人生活在一起，这个人自己还有9个孩子。在那个家里，约翰经常受到虐待，其他孩子们吃晚餐时，他却被赶到牲口棚里和牲口待在一起。最后，约翰和母亲离开了那个毫无温暖的家，带着自己仅有的一点儿家当，沿着一条土路徒步走了三天。约翰这一辈子都清清楚楚地记得那次徒步之旅。长大以后，为了赡养母亲，他高中还没毕业就离家参军。有了5个孩子以后，为了养家糊口，他做过各种工作，包括从船上卸香蕉、参与修建阿拉斯加输油管道等。他还不到60岁时，就有两个子女相继离世。他一生历经磨难，已到了处变不惊的境界。

约翰·威利并不轻易给我打电话，只要一打，肯定是大事，而且很可能是要命的大事。

本：你好。

约翰：本，你的秘书让我别打扰你，不过我只想告诉你，费利西娅刚才没呼吸了。还好，她死不了。

本：死不了？你说什么？出什么事了？

我简直无法相信他所说的话。我一直全神贯注于工作之上，却疏忽了与我至亲的家庭。对自己本应关心的这件事，我再次疏忽了。

本：到底出什么事了？

约翰：她用药时产生了过敏反应，然后就停止呼吸了，不过现在已经没事了。

本：什么时候的事？

约翰：昨天。

本：什么？为什么不早点儿告诉我？

约翰：我知道你很忙，况且工作又遇到了大麻烦，都怪那次会议。

本：我还是回来一趟吧。

约翰：不用了，我们会照顾好她的，你只要管好自己的事就行。

我惊得完全不知所措，浑身冒汗，以至于放下电话后不得不换了身衣服。我心神大乱，不知该怎么办。如果我回家去，公司肯定就会破产；如果我待在这儿……可我怎么待得住啊？我把电话打回去，让约翰把电话转给费利西娅。

本：如果你需要我，我马上就回来。

费利西娅：别回来了，一定要把上市的事情办好，你和公司已经没有多少机会了，我没事的。

在接下来的路演中，我方寸大乱，魂不守舍。一天，我稀里糊涂地穿了身西装外套和西裤，直到会议间歇时马克提醒我，我才发现这身衣服根本就不搭配。我有一半时间都不知道自己身在何处。在我们四处开展路演的三周里，市场上同类公司的市值损失过半，这意味着我们每股10美元的股票定价大概是当前股价标准的2倍。银行家们建议我们将新股的价格降低到每股6美元，以反映出这一新行情，但他们并未向我们保证，这样做一定会成功。接着，就在新股发售的前一天，雅虎公司——互联网繁荣时期的一座灯塔——宣布了其CEO蒂姆·库格尔辞职的消息。我们已经触及了互联网泡沫破裂的最低点。

Loudcloud公司的新股最终以每股6美元的价格进行了发售，由此我们筹集到了1.625亿美元的资金，但我们既没有搞庆祝仪式，也没有庆祝会。而且，高盛投资公司和摩根士丹利投资公司——带我们上市的两家银行——甚至都没有按惯例给我们举行闭幕晚宴。这也许是有史以来最低调的首次公开募股活动了。不过，费利西娅感觉好多了，我们也圆满地完成了这次活动。在乘飞机回家的途中，难得有片刻时间心情愉快，我转向斯科特·库珀——我的财务总监，说道："我们总算成功了！"他回答道："没错，不过我们还是被坑了一把。"

2012年，雅虎公司解雇了其CEO斯科特·汤普森，费利西娅若有所思地说道："他们是不是应该把蒂姆·库格尔请回来？"我吃惊地说："蒂姆·库格尔？你怎么知道蒂姆·库格尔？"费利西娅回忆起了我俩11年前的那场对话。

本：我们被骗了。

费利西娅：什么意思，发生什么事了？

本：雅虎解雇了库格尔。结束了，一切都玩完了。

费利西娅：库格尔是谁？

本：雅虎的CEO。我们被骗了，公司就要完蛋了。

费利西娅：是真的吗？

本：你没听见我说的话吗？他们解雇了库格尔。我们被骗惨了。

费利西娅以前从未见我如此沮丧，她永远也忘不了那一幕。对大多数CEO而言，新股公开发售的前一个晚上是万众瞩目的精彩时刻，但于我而言，那却是最令我沮丧的难挨时刻。

既然毒药非喝不可，干脆一饮而尽

在新股路演期间，为了缓解紧张的气氛，马克总是会说："记住，本，事情在变得更糟之前总是最暗淡无光的。”他是在开玩笑，但当我们作为一家上市公司进入第一季度时，这些话似乎颇有预见性。客户们继续抛售、炒卖证券，宏观经济环境持续恶化，我们的销售预测不断下滑。在面向投资者举行首次业绩发布会的时间越来越近时，我对公司的运作进行了一次全面的回顾，以确定我们仍在正常轨道上运行。

好消息是，我们该季度的营收预测可以实现；坏消息是，我们的年度营收预测几乎不可能实现。一般情况下，投资者们的期望是，如果公司无法实现第一年的营收预测，这家公司就会停止上市。尽管当时是非常时期，但首次业绩发布会召开在即，此时重新调整营收指标实在是下下策。

在讨论给投资者们重新调整营收指标时，我们面临着一个艰难的抉择：是以尽可能小的幅度降低营收指标，竭力将初始损失降到最低，还是重新制定一个营收指标，并将其风险降到最低？如果我们大幅降低营收指标，股票也许就会崩溃。但是，如果营收指标降得不够低，我们也许还得再次进行调整，这会令我们仅存的可信度丧失殆尽。财务经理戴夫·康特举手发言，提出了一个具有决定性意义的建议：“无论说什么，我们都是死路一条。只要调整营收指标，投资者们立刻会对我们失去信任，因此我们现在不妨将所有苦果一口咽下，因为凡是乐观的营收预测，根本就不会有人相信。既然毒药非喝不可，干脆一饮而尽。”我们重新调整了年度营收指标，将最初 7 500 万美元的营收预测大幅削减至 5 500 万美元。

调整营收指标也意味着要调整支出指标，随之而来的就是裁员。

一直以来，我们都是创业界的宠儿，可现在却不得不忍痛将公司 15% 的员工遣散回家。这表明，我已走投无路。我对不起我的投资者们，对不起我的员工，也对不起我自己。

调整营收指标之后，高盛和摩根士丹利两家投资公司双双终止了其银行投资研究，也就是说，这两家公司的分析师将不再为其客户对我们公司的发展进行投资分析。它们这样做无异于自己扇了自己一记响亮的耳光，完全背弃了当初对我们的承诺，可当时，大家的日子都不好过，所以我们并没有追索补偿。由于银行对我们失去了信任，再加上营收指标的下调，我们的股价从每股 6 美元跌至每股 2 美元。

尽管压力巨大，我们依然迎难而上，并在 2001 年第三季度取得了相当不俗的业绩。接着，9 月 11 日，恐怖分子劫持了四架喷气式飞机，其中两架撞击了世贸大厦，另一架撞击了五角大楼，整个世界陷入一片混乱。该季度，我们最大的交易对象本来是英国政府，交易额占订单总数的三分之一，如果交易无法达成，该季度的营收目标根本就无法实现。我们的交易大王打来电话告诉我们，英国首相托尼 · 布莱尔已将原本用于和我们进行交易的资金转而用于战争基金。但幸运的是，我们的销售总监说服了布莱尔身边的一位工作人员，将资金又要了回来，这才使我们达成了交易，实现了该季度的营收目标。

然而，此次的侥幸成功却表明，我们的整体运营方式太过脆弱。9 月 26 日，当我们最大的竞争对手 Exodus 公司申请破产时，我们都颇为震惊，因为就在一年多前，该公司的市值还高达 500 亿美元。而且就在 9 个月前，该公司凭借一个“全资助方案”刚刚筹得 8 亿美元的资金。Exodus公司的一位高管事后开玩笑似的对我说："我们开车冲下悬崖时，没有留下任何刹车的痕迹。"我想，既然Exodus公司都能以如此之快的速度失去其500亿美元的市值和8亿美元的资金，那我必须未雨绸缪，制订一个后备计划。

在初次尝试实施"B计划"时，我们对数据回传公司（Data Return）进行了评估，该公司和我们公司性质相同，但其更侧重于Windows应用程序，而我们则侧重于Unix应用程序。我们对这一收购计划反复研究了几周，模拟两家公司合并后有可能出现的状况，计算产品供应及成本协同效益。当时，我的首席财务官对这一收购计划极其兴奋，因为这样一来，他最拿手的本事——削减成本——就有了用武之地。

讨论快结束时，我休假两天，打算去俄勒冈州的阿什兰放松一下。刚到目的地，我就接到约翰·奥法雷尔打来的一个紧急电话，他是我们公司的业务发展负责人。

约翰：本，抱歉打扰你休假了，可我们刚刚就收购数据回传公司一事开了个会，我认为我们不应该收购该公司。

本：为什么？

约翰：坦白说，我们目前正处于困境，这家公司同样深陷泥潭，两家一合并只会令麻烦加倍。

本：我也这么认为。

事实上，数据回传公司目前低迷的经营状况让我清楚地看到，

Loudcloud公司的下场可能也好不到哪儿去。正所谓当局者迷，旁观者清。一想到我们未来的命运，我就辗转反侧，无法入睡。为了令自己感觉好受一些，我不断地问自己："最糟糕的结果会是什么呢？"答案总是一样："破产，赔光所有人的钱，包括我妈妈的钱，令那些在极其恶劣的经济环境中一直兢兢业业工作的人全都失业，将所有信任我们的客户全都拖入苦海，我的一世英名全部毁于一旦。"可笑的是，这样的假设从未令我的心情有丝毫好转。

之后有一天，我问了自己一个不同以往的问题："如果公司破产了，我会怎么办？"我的答案令自己吃惊不已："我会买下Loudcloud公司自用的Opsware软件，从破产的阴影中走出来，开办一家软件公司。"Opsware是我们自己编写的软件，目的是使云运行的所有任务实现自动化，例如配置服务器、建立网络、部署应用程序、提供灾难恢复安全保障等。接着，我又问了自己另外一个问题："有没有办法在不破产的情况下实现这一想法呢？"

我将各种有可能帮我们退出云计算服务、转而投向软件业务的方案想了一遍。无论哪种方案，第一步都是将Opsware软件与Loudcloud公司分离。Opsware软件仅供Loudcloud公司内部运行，而且运行该软件有诸多限制，这使其无法成为一个在任何环境下都能使用的产品。我问蒂姆 · 豪斯，将Opsware软件从Loudcloud公司分离出来需要多长时间。他说大约需要 9 个月，事后证明，这个估计过于乐观了。我立即指派了一个由 10 名工程师组成的小组，着手实施一个被称为"氧化物"（Oxide）的计划。

此时此刻，我们开展的依然是云计算服务，在公司所有人面前，我丝毫不露声色，没人知道我另有打算。实施“氧化物”计划会令我们唯一的业务立即搁浅，因为所有人都希望为未来打拼，不愿意停留在过去。我告诉大家，“氧化物”计划只不过是另外一条生产线而已。这一说法令我的两名员工忧虑不已，他们是毕业于斯坦福商学院的高才生。于是，他们专程来见我，用一大堆幻灯片向我详细说明为什么“氧化物”计划只是一个空想。他们认为，研发新产品会侵占我们核心业务的宝贵资源，而且这个新产品肯定会失败。我让他们将45张幻灯片全部展示出来，其间，我不置一词。幻灯片放完之后，我说：“是我让你们来放这些幻灯片的吗？”瞬间，我从和平时期的CEO变身成了进入战斗状态的CEO。

凭我在公司的地位，以及我们是上市公司这一事实，除我以外，没有人清楚公司的发展全局，没有人能令公司摆脱困境。我知道我们陷入了很深的泥潭。如果我任凭那些根本不了解具体情况的人对公司的发展大计指手画脚，那我就无药可救了。我需要的是信息和数据，而不是有关公司未来发展方向的任何建议。这是重要的战略决策期，公司的生死存亡取决于我的决策是否正确，逃避或推卸责任是绝不可行的。如果我所招募的所有人——他们对公司都忠心耿耿——全都被打发回家，而公司对此几乎拿不出什么站得住脚的理由来，那么任何借口都无济于事。我绝不会说出“这都怪经济环境太恶劣了”、“都怪我得到的这些建议不中用”、“都怪形势变化太快了”这样的借口。我所面临的唯一选择是，要么生存，要么彻底毁灭。是的，大多数事情依然可以假手于人，大多数管理者都有权在自己的专业领域做出决定，但是，最基本的问题——Loudcloud公司是否能够生存下去以及如何生存下去——是留给我一个人的，也只有我才能回答这个问题。

我们终于把2001年第四季度应付了过去，实现了年度营收目标，实际收益达5 700万美元，高于我们所预测的5 500万美元。这并不是一个很了不起的胜利，但在那一年，很少有公司能够实现其预期收益，因此我还是将其当作一个小小的的胜利。我们的股价逐渐上升至每股4美元，看情形，我们的云计算服务似乎还有一线生机。

要想继续开展云计算服务，我们需要投入更多资金。仔细分析财务计划之后，我们认为，公司还需要5 000万美元才能使资金流动保持平衡，只要达到了这个平衡点，我们就不需要再筹集资金了。鉴于我们在市场上的巨大压力，现在筹集资金几乎不太可能了，唯一的办法就是借助一个很少被用到的概念——私人投资公开股票（PIPE），与摩根士丹利投资公司携手合作，以5 000万美元的筹款目标令投资者们排起了长队。

周一早上，我们一切准备就绪，就等着周二举行私人投资公开股票路演。这时，我接到了一个电话："本，Atriax公司的CEO打来电话，要给你转过来吗？"Atriax公司是一家依托花旗银行和德意志银行的网上外币兑换公司，也是我们最大的客户。该公司每月要向我们支付100多万美元，我们之间还有一个为期两年的保障合同。电话打来时，我和人力资源部副总裁德布 · 卡萨多斯正在开会，我说："转过来吧。"电话中，对方告诉我，Atriax公司破产了，他欠我们的2 500

万美元连一个子儿都还不起。刹那间，世界仿佛停止了转动。我坐在那里，神思恍惚，直到耳边响起德布的声音："本，本，本，这个会我们还是稍后再开吧？"我回答说："好。"我慢慢朝首席财务官的办公室走去，准备评估我们的损失。我们蒙受的损失比我想象的更严重。

鉴于事态的严重性，如果不率先公开我们已然失去了最大的客户以及我们的财政计划已缩水2 500万美元的消息，我们就无法筹集资金。我们暂停了私人投资公开股票的路演活动，发布了一条媒体新闻。我们公司的股票随即暴跌50%，公司1.6亿美元的市值迅速下滑，我们再也无法利用私人投资公开股票筹集到5 000万美元。原本，使资金流动保持平衡只需要5 000万美元，现在，由于Atriax公司的破产，这一数额已经提升至7 500万美元。Loudcloud公司已在劫难逃，我不得不实施"氧化物"计划。

当时，情况十分复杂，我们有450名员工，其中440名都在从事云计算服务，我们所有的收益都是他们辛勤工作的成果。我无法告诉这些员工以及我的管理团队，我正在考虑放弃云计算服务，因为我们的股价有可能会暴跌至一文不值，最终令我们转让公司、避免破产的所有希望都化为泡影。

此时，我信任的只有一个人，他就是约翰·奥法雷尔。约翰主要负责公司的业务发展事宜，此外，他还是我所认识的最了不起的大人物。为了说明这一点，我这样打个比方，假如你已经走到了生命的尽头，正面临着上帝对你做最后的判决，由于事关你能否得到永生，因此你可以选一个人代表你去和上帝进行交涉。此时，你会选谁呢？

如果是我，我一定会选我那位来自爱尔兰的好兄弟——约翰·奥法雷尔。

我告诉约翰，他要和我共同执行一个紧急计划，我们必须立刻开始行动。这个计划只有我们两个人参与，同时我们必须让其他人都专注于自己目前的任务——减少Loudcloud公司在资金方面的损失。接下来，我打电话给比尔·坎贝尔，向其解释我们必须退出云计算服务的原因。

比尔很清楚危机有多可怕，因为20世纪90年代初，他曾在GO Corporation公司任CEO。1992年，GO Corporation公司曾试图研发一个类似苹果手机（iPhone）的设备，结果却使其成为有史以来风险投资亏损额最大的公司之一。我把我的思路告诉了比尔：在不破产的情况下，退出云计算服务的唯一办法是提高销售额，因为即使我们将所有员工全部辞掉，如果销售额无法实现大幅增长的话，基础设施成本依然会把我们逼上绝路。我进一步解释说，日益缩减的现金结余会打击客户的信心，这反过来又会影响销售额的提高，导致现金结余进一步缩减。比尔听完，只是简单地说了句："恶性循环"。我一听就知道，他完全明白了。

约翰和我对整个行业环境进行了分析，以确定哪些公司有可能对收购Loudcloud公司感兴趣。不幸的是，许多有意收购的买家都处于自身难保的境地。电信巨头奎斯特公司（Qwest）和世通公司（WorldCom）正身陷做假账的官司之中，Exodus公司已经破产。我们决定把重点放在三个最有可能的买家身上：IBM公司、大东电报局和EDS公司。

IBM公司主管主机业务的吉姆·科尔热尔对收购Loudcloud公司立刻产生了浓厚的兴趣。吉姆和我性格相似，他很看重Loudcloud公司的品牌和我们的技术优势。但是，EDS公司对收购并没有表现出兴趣，这令我极其担心，因为我研究了两家公司的资料，我认为，EDS公司比IBM公司更需要Loudcloud公司。在兼并和收购过程中，需要总比意愿重要。约翰对我说："本，我认为我们应该忽略EDS公司，这样才能将重点放在可能性更大的目标上。"我让他把EDS公司的组织结构图再画一遍，看看我们能否找到一位在EDS公司很有影响力、我们尚未接触过的人物。约翰画图时，我问："这个杰夫·凯利是谁？"约翰顿了顿，说："嗯，我们还没接触过，不过，也许他能做得了主。"

果然，杰夫对收购很感兴趣。现在，有了这两家有意收购的投标公司，我们开始采取实际行动。约翰和我拼命给IBM公司和EDS公司制造紧迫感，因为我们的时间并不多。我们在公司里招待两家公司的负责人，有时，这两家公司负责人会在走廊里擦肩而过，这只是约翰运用销售技巧精心策划的一个局而已。而且，我们为收购的最后阶段设置时限，约翰和我就此争辩怎样做效果最好，因为我们原计划设定的最后期限显然是假的。在去得克萨斯州的普莱诺——EDS公司的老家——的途中，我建议在洛杉矶稍作停留，去找迈克尔·奥维兹获取一些建议。

迈克尔是Loudcloud公司董事会的成员，从前的名气非常大，许多观察家称他为“好莱坞最厉害的人物”。28岁时，他创办了一家演艺经纪公司，即创新艺人经纪公司（CAA），该公司后来占据了好莱坞娱乐业的半壁江山。创新艺人经纪公司的走红使迈克尔的事业如日中天，以至于以前那些从未有人达成的棘手交易，他轻而易举地就能达成。

我们到迈克尔办公室时，他正忙得不可开交，似乎在处理一大堆各不相同的事，最后，他终于出来会见我和约翰。我们向他说明了情况：我们正在争取时间，目前有两位买家，但我们没有好办法让这两位买家乖乖地朝最终目标前进。迈克尔顿了顿，思索了片刻，然后说出了他的建议：

“先生们，我做过很多交易，通过做交易，我研究出了一种做事的方法，当然，你们也可称其为哲理。在这条哲理的指导下，我有一些信念。我相信虚假的最后期限；相信应该让两个买家互相竞争；相信除了违法或违背道德的事之外，我们可以不择手段地达成交易。”

迈克尔确实很有一套，他总有办法扭转乾坤。

谢过迈克尔后，我们前往机场，并分别给EDS公司和IBM公司打电话，告诉它们，我们将在8周之后结束收购程序，把Loudcloud公司卖给其中某一家。如果想继续参与收购，他们要么在最后期限内完成收购，要么立即撤退。我们知道，也许最终，我们会被迫延长最后期限，但迈克尔令我们相信，与没有最后期限相比，延长最后期限更为可取。

7周之后，我们和EDS公司达成了协议，他们用6 350万美元现金买下Loudcloud公司，并承担Loudcloud公司的相关债务和现金消耗，而我们将保留知识产权和Opsware，摇身一变成为一家软件公司。接下来，EDS公司还以每年200万美元的价格用我们的软件运行Loudcloud公司和EDS公司。我认为，这次交易无论对EDS公司还是我们自己来说，都非常划算，这肯定比破产好得多。18个月来，我第一次可以大大地松一口气了。可是，事情并不是表面上这么简单。出售Loudcloud公司还意味着要将大约150名员工一起转给EDS公司，同时还要辞掉其他140名员工。

我打电话给比尔·坎贝尔，告诉他交易已经达成，我们将于周一在纽约宣布这一消息。比尔说："你不能去纽约参加发布会真是太遗憾了，不过你必须派马克去。"我问："为什么？"他说："你必须守着公司，确保所有人都知道自己的处境。你一分钟都不能拖，大家有权知道自己现在是继续跟着你在EDS公司干，还是要另谋出路。"噢，真该死！比尔说得对。我派马克去了纽约，然后准备告诉大家他们现在的处境。事实证明，比尔的那条小小的建议为我们日后重建公司打下了必要的基础。如果我们不能公平、公正地对待那些即将离开公司的人，那些留下的人就永远不会再信任我了。只有亲身经历过极其可怕并极具毁灭性的大风大浪的CEO才会在那样一个时刻提出这样的建议。

第三章　转型Opsware：这一次，跟着感觉走

我继续前进，追求唯一的完美方向，

不能因为恐惧而迷失方向。

——美国歌手Jay Z《下一步》

和EDS公司的交易结束之后，我感觉公司运营得不错，但股东们并不这样认为。我放弃了所有的收入、所有的客户，以及他们所了解的业务。所有的大股东都离我们而去，股价跌至每股0.35美元。我意识到，除我之外，没人知道形势已经糟糕到了什么地步，没人相信未来，因此，我决定将员工们带到公司外面，给他们一次选择的机会。

我在圣克鲁斯一家低档汽车旅馆租了40间客房，和公司剩下的80名员工在那里喝了一晚上酒，第二天向他们解释Opsware所拥有的机会。那天晚些时候，我坦诚地对他们说：

我所知道的情况，你们大家现在已经全都听说了，你们肯定在思考摆在我们面前的机会。华尔街方面并不看好我们Opsware公司，但我对Opsware依然充满信心。如果你们也不看好Opsware，我完全理解。因为这是一个全新的公司，也是一个全新的挑战。今天，作为奖励，我要将新股票送给所有人。如果有人决定退出，今天就可以退出。我不会送你出门，但我会帮你找份新的工作。不过，你要知道自己此刻所站的位置，和你站在一起的人是谁，哪些人可以依靠。我们之间不该存有半点儿疑虑，团队成员之间应该坦诚相向，告诉大家你的决定。

那天，有两名员工选择了退出。其余的78名员工之中，有76人一直坚守到5年之后Opsware被卖给惠普公司。

那次集会之后，我要做的第一件事就是提升股票价格。纳斯达克已经给我发来一封简短的信函，信上说，如果我们无法令股票价格提升至1美元以上，他们将把我们从股票交易所的上市名单中“除名”，将我们发配到被称为“低值便士股”的炼狱中去。公司董事会立即就最佳应对方案争论不休，例如反向分割股票、股票回购或其他办法，但我认为，我们只需据实相告。实情很简单：我们有一支优秀的团队，银行里有6 000万美元资金，每年和EDS公司有一笔2 000万美元的合同，还有一些重要的知识产权，公司的价值应该超过3 000万美元。这番直陈相告非常有效，公司股票终于爬升至每股1美元以上。

接下来，我必须推行一款产品。创建Opsware公司的目的是推行云计算服务，而且只推行云计算服务，我们尚未做好面向世界的准备。事实上，Opsware的部分代码还是通过硬连接的方式和公司的物理机器实现连接的。除此之外，用户界面也尚未做好针对黄金时段的准备。管理网络的组件被称为Jive，其特点是，标题页上有一顶紫色的皮条客帽子。“氧化物”计划为我们开创了一个良好的开端，但我们的工程师却顾虑重重。他们给我拿来了一份长长的清单，上面列举了他们认为在进入市场之前必须实现的产品功能。他们希望用更完善的产品超越竞争对手。

听着他们滔滔不绝地陈述反对理由，我清晰地看到，工程师们想要添加的这些产品功能全是参照Loudcloud公司产品的标准提出的。尽管过程非常痛苦，但我知道，我们必须进入更广阔的市场，因为只有充分了解市场，我们才能推出市场需要的产品。但可笑的是，实现这一目标的唯一办法却是尽力去销售错误的产品。我们会遭遇失败，只有失败才会让我们学得更快，为了生存，我们不惜一切代价。

最后，我必须重新组建高管团队。我的首席财务官完全不懂软件财务，销售负责人以前也从未卖过软件，市场主管对我们的市场一无所知。虽然他们每个人都在自己过去的岗位上表现出色，但他们并不能胜任新的工作。把他们全都辞掉虽然令人于心不忍，却势在必行。

新策略和新团队一携手，我们的生意开始有了起色，和客户签约的速度开始稳定下来，股价也从每股 0.35 美元的超低价逐步升至每股 7 美元以上。我们似乎走出了不见天日的密林。

显然，我太乐观了。

60天生死倒计时

Opsware运行了几个季度之后，我们从最大的客户EDS公司（我们收入的90%都来自该公司）那里收到了极坏的消息。EDS公司很不开心。由于遇到多重技术难题，他们的Opsware软件配置已经出现停滞状态，而且没有达到预期目标。EDS公司想取消配置，终止合同，将自己的钱收回去。如果这样的话，我们公司就完蛋了。而和一个决定着我们几乎90%收入的客户大吵大闹，同样会令公司完蛋。我们再次陷入了绝境。

我把负责客户管理的两个高级助理叫了进来。

贾森·罗森塔尔是我聘用的第一个员工，也是公司最出色的管理人员之一。他是斯坦福大学的高才生，有着无可挑剔的惊人记忆力和管理一切细节的天才头脑，主要负责对EDS公司的资源配置。

安东尼·赖特在匹兹堡一个贫困地区长大，父亲是颇具传奇色彩的街头霸王乔·赖特，曾多次在武术比赛中荣获黑带。安东尼自学成才，意志非常坚定，而且永不言败，他有一个不可思议的本事——能迅速看透人们的性格并洞悉其动机，“能用魔力让狗从装满肉的卡车上乖乖地跳下来”，我们团队里的另一个家伙在谈及他的这个本事时这样说道。安东尼负责对EDS公司的公关。

我们讨论道：发生了什么事？事实证明，发生了很多事。EDS公司的运营环境很不正常，而且混乱无序。凡是和这家公司签过约，无论什么客户，无论什么时期，该公司都会接收其网络和基础设施。其数据中心的连接速度为56千比特，而当时任何一个客户的连接速度都比其快20倍。EDS公司运行的操作系统版本过于老旧，根本不支持诸如多线程这样的基本技术，这意味着我们的软件在他们的操作系统中根本无法运行。还有，EDS公司里的人和我们的人不一样，他们下午两点钟还在数据中心睡大觉，工作不积极，热情度不高。此外，我们的产品还远未达到完美标准，每一个漏洞和缺陷都是EDS公司停止配置我们产品的理由。

我停顿了很长时间，挠了挠头，开始谨慎地下达指令：

“我完全理解你们的难处，也非常感谢你们所付出的努力。但是，我认为你们还是没有听懂我的意思，不清楚我们目前的处境。我不想听任何借口，我们必须赢。如果EDS抛弃了我们，我们就完蛋了。我们使公司上市、令Loudcloud公司摆脱破产命运、裁员以及经历的种种痛苦，所有这一切就都白费了。因此，我们唯一的选择就是赢，我们不能失去这次机会。”

“贾森，整个公司都由你调度，无论你需要什么，我保证办到。安东尼，贾森要想办法实现EDS公司所期望的所有价值，但他肯定无法完全实现他们的期望，因此，你现在的任务就是搞清楚什么是他们期望之外但又想要的东西。你要负责找到令人兴奋的价值。如果你找到了，我们就一定能成功。”

于是，贾森和安东尼动身前往得克萨斯州的普莱诺，会见EDS公司的资源配置负责人和公关经理。

他们并不知道EDS公司的最终决策者是谁，经过无数次会面，碰过无数钉子之后，他们来到了一个负责人的办公室，我姑且称此人为弗兰克 · 约翰逊（化名）吧。这个家伙身材魁梧，在俄克拉何马州的油田长大，毕业于西点军校。在EDS公司，与服务器有关的业务都归他管理。安东尼和贾森对其大谈Opsware的技术优势和成本节约的潜能。

听了一会儿，弗兰克推开椅子，站起身来，喝道："你们想知道我对Opsware的看法吗？我认为，那就是一堆该死的臭狗屎！我天天听到的都是你们这款产品有多烂。我们不会再使用这款产品了。"

弗兰克的态度表明，他打算将我们的所有软件立即清除，让我们退回所有资金。看起来，他的态度极其坚决。

安东尼依然镇定自若，他看着弗兰克说："我会照你所说的去做，绝不含糊。你所说的话我听得非常清楚。这无论是对你们还是对我们而言，都是一个不幸的时刻。请允许我用一下你的电话，我想给本 · 霍洛维茨打个电话，告诉他你的决定。不过，在我打电话之前，我能问你一件事吗？如果我的公司承诺解决所有问题，你会给我们多少时间？"

弗兰克回答说："60天。"安东尼告诉他，就从当天算起吧，然后迅速离开了办公室。这是个好消息：我们有整整60天的时间来解决所有的问题，让产品配置发挥作用。如果做不到，我们就死定了。

我在职业生涯早期所学到的一条经验是，每当大公司打算实施某一计划时，该计划总会落到某个人身上，而此人却极有可能延误整个计划。如果此人是工程师，他也许会因为等待上面的决策而踌躇不前；如果此人是管理者，他也许会因为自己无权做出关键性的购买决定而犹犹豫豫。这些看似微不足道的踌躇和犹豫很可能会造成致命的延误。我承担不起任何犹豫不决，因此，我和安东尼、贾森，以及整个团队每天召开一次例会，尽管这些人现在都驻守在普莱诺。每日例会的目的是清除所有障碍。如果任何人由于任何原因在任何事情上被卡住，那么此事必须在24小时以内——也就是两次例会之间的时间——得到解决。

与此同时，安东尼正在拼命地寻找我们能够提供给EDS公司的令人兴奋的价值。我们从一些小事开始着手，它们虽然无法改变我们的命运，却给我们提供了重要的线索。我们安排EDS公司的主要负责人弗兰克乘飞机去和我们的高级工程师及建筑师会面。在为其安排飞机行程的过程中，安东尼汇报说，弗兰克要求在转机机场停留尽可能长的时间。我还以为自己听错了："你说什么，他想在机场长时间停留？"

安东尼：没错。

本：哪有人想在机场长时间停留呢？

安东尼：显然，他是想利用等航班的间隙在机场柜台里逛一逛。

本：那儿有什么好逛的？

安东尼：我也这样问过他，他说"因为我痛恨我的工作，也痛恨我的家庭"。

直到这时，我才知道自己在和什么样的人打交道。弗兰克的世界观和我们公司的人的世界观完全不同，了解到这一点，我的思路顿时变得清晰起来。弗兰克希望我们欺骗他，这正是工作中经常发生在他身上的事，想必在其个人生活中也是如此。我们需要某种令人印象深刻的东西来打破他的这种心理。我们必须从机场柜台着手，而不是从他的工作或家庭着手。

贾森带领着团队严格按照时间安排对EDS公司进行资源配置。我们的计划刚实施了一个月，西南航空公司圣何塞至达拉斯航班的全体机组人员都知道了贾森及其团队成员的名字。他们的工作取得了稳步进展，但这还远远不够。我们不可能在60天内完成对EDS公司资源的充分配置，因此，找到令人兴奋的价值迫在眉睫。

我坐在办公室里期待着突破性进展，手机响了，是安东尼打来的。

安东尼：本，我想我找到了。

本：找到什么了？

安东尼：令人兴奋的价值就是Tangram公司。

本：你说什么？

安东尼：我说Tangram公司。EDS公司使用了一种产品为其硬件及软件编制目录，该产品来自一家名叫Tangram的公司。弗兰克极其喜欢这一产品，但他们公司的采购人员却要逼他使用冠群公司（Computer Associates）的一款功能相同的产品，因为根据EDS公司和冠群公司达成的部分协议，他们可免费使用冠群公司的这款产品。弗兰克痛恨冠群公司的产品，他又一次被算计了。

本：那我们现在该怎么办？

安东尼：如果Tangram公司肯免费和Opsware携手，那么弗兰克肯定会爱上我们的产品。

本：从经济角度而言，这听着似乎不可能。如果我们从Tangram公司买下授权，然后将其拱手送给EDS公司，成本必然很高。华尔街方面，我们永远也解释不清楚。

安东尼：是你让我搞清楚EDS公司真正想要什么的，他们真正想要的就是Tangram公司的产品。

本：我明白了。

我以前从未听说过Tangram公司，于是，我先迅速查阅了该公司的相关信息。这是位于北卡罗来纳州凯里市的一家小公司，但它居然也在纳斯达克市场上进行交易。我查了一下该公司的资本市值，结果令我难以置信。雅虎财经数据显示，Tangram公司的市值仅为600万美元。作为上市公司，其市值竟然如此低廉，简直闻所未闻。

我立即给业务发展负责人约翰·奥法雷尔打电话，告诉他我想收购Tangram公司，整个收购过程必须以极快的速度进行，因为我必须赶在EDS公司给我们的60天限期之前完成收购。

Tangram公司的经营者名叫诺姆·费尔普斯，暂任CEO一职，这一点清晰地表明，他们有意转让公司，因为大多数董事会宁愿卖掉公司，也不愿聘任新的CEO带领他们冒险一搏。约翰与Tangram公司方面进行了商谈，对方立刻表现出了兴趣，于是我们组建了一个团队，开始对Tangram公司进行尽职审查①，同时就合并协议与其展开了谈判。尽职审查即将结束之时，我将团队召集在一起。大家一致认为，收购Tangram公司是个糟糕的点子：技术上很难兼容，而且价值不大，地理位置也不理想，成立时间较久，技术也很老旧。财务团队认为，这项收购肯定会赔钱。听完这些意见，我告诉大家，他们所说的这些反对理由我并不在乎，我们一定要收购Tangram公司。团队成员似乎非常震惊，但并没有和我争辩。

经过谈判，我们与对方达成了协议，以价值1 000万美元的现金和股票收购Tangram公司。在60天限期结束之前，我们签署了这一收购协议。我打电话给EDS公司的弗兰克，告诉他我们和Tangram公司的交易一结束，就可以将Tangram公司的所有软件免费纳入他与Opsware的合同里。弗兰克欣喜若狂。由于我们帮弗兰克解决了Tangram公司的软件问题，他开始以一种完全不同的眼光来看待贾森团队的工作。60天限期结束之时，弗兰克将我们的团队召集在一起，发表了以下言论：

“这次合作之初，我曾给各位讲过一番话，这些话我也向很多卖主讲过，他们个个都满口应承，却没有一个人真正兑现过承诺。而你们却说到做到，这令我感到震惊。你们是我见过的最出色的卖主，我很高兴能和你们合作。”

---

① 尽职审查：中介机构在企业的配合下，对企业的历史数据与文档、管理人员的背景、市场风险、管理风险、技术风险和资金风险做全面深入的审核，多发生在企业公开发行股票上市和企业收购中。

我们成功了。我们保住了客户，保住了公司。终于松了一口气！不过，我们刚刚买下的公司还有一些小问题要处理，包括57名员工的安置问题。有些决定做起来很容易，比如有10个销售人员，我们只要1个就够了，因为另外9个人什么也卖不出去。有些决定做起来就要复杂得多：我们应不应该保留位于北卡罗来纳州的Tangram公司原址呢？最后，我们决定将其保留下来，以便为客户提供服务。结果证明，在计算周转率以及人员招募和培训成本时，和印度的班加罗尔相比，在北卡罗来纳州凯里市雇用工程师的成本要低得多。多年之后，事实证明，收购Tangram公司令我们受益匪浅，其价值已不是保住EDS公司这一客户这么简单。

在收购谈判过程中，双方一致同意，Tangram公司的首席财务官约翰·内利不加入Opsware公司。可是，就在签署协议和交易即将结束期间，约翰开始出现剧烈的头痛症状。医生诊断他患上了脑癌。由于他不会成为Opsware公司的员工，而且他的病事先就有，因此他没有资格享受我们计划中的医疗保险。若无法享受医疗保险，高昂的治疗费用很可能拖垮他的家庭。我问人力资源部负责人，如果将约翰列为公司在职员工，使其有资格享受联邦“综合多项预算调节法案”[①]（以下简称“COBRA计划”）规定的医疗保险，我们需支付多少费用，以及加入COBRA计划需要多少费用。结果得知，费用约为20万美

① “综合多项预算调节法案”是美国劳工法中最重要的法案之一，于1985年由美国国会通过，并经里根总统签署生效。根据该法案，部分雇员在离开公司后仍有权购买雇主提供的医疗保险。

元。就公司目前的处境而言，这可谓一笔巨款。最重要的是，我们根本不认识约翰，而且从严格的法律意义上说，我们丝毫不“欠”他什么。这并不是我们的问题。我们也在为生存苦苦挣扎。

事实的确如此，可约翰连命都快保不住了。我决定从预算中挪出些钱来为他支付医疗保险费用。我从未想过有人会对我的这一决定说些什么，但 15 个月之后，我收到了约翰的妻子亲笔写的一封信，她告诉我约翰已经过世了。信上说，她万万没想到我会对一个素不相识的人及其家人施以援手，是我令她从绝望的阴影中走了出来。信中说，她不知道我为何要这样做，但这却给了她继续生活下去的勇气，她对我永远充满感激。

我想，我之所以这样做，是因为我知道绝望是什么滋味。

适者生存

有关EDS公司的危机刚一化解，我就听说，本来有望与其签约的三家新客户正离我们而去。一个强劲的新竞争对手BladeLogic公司异军突起，抢走了我们的重点客户。我们的好几笔生意都栽在他们手上，导致我们的季度任务指标没能实现，股价也再次跌至每股 2.9 美元。

我们再次踏上了征程。

产品不够完善、股价不断下滑、团队疲惫不堪，我知道我们遇上了劲敌。雪上加霜的是，作为“董事会全职主席”，曾心无旁骛地和我共建Loudcloud 公司和Opsware公司的马克决定成立一家名为Ning的新公司。此刻，Opsware公司的成败实际上就取决于团队和我，但这个时间点却对我们极为不利。不仅因为公司目前正遭逢劲敌，而且因为我们最知名的代言人正打算改弦易辙。在经历过那么多的艰难险阻之后，我怎么要求我的团队鼓足干劲儿，再去攻克一座不可跨越的高峰，我自己又如何能打起精神继续前进呢？

我觉得自己再也找不到什么理由，再也喊不出 "加油，加油" 之类打气的话来。我决定和团队实话实说，看看大家有什么反应。我召集了一次全体会议，发言如下：

我有些坏消息要告诉大家，我们现在正被BladeLogic公司打压得狼狈不堪，问题出在产品上。照此下去，我只好将公司贱卖。手里没有稳操胜券的好产品，我们就没有办法生存下去。因此，我需要你们每一个人做点儿事情。我要你们今晚回家，和你们的妻子、丈夫、其他重要的亲人，或最关心你的人认真谈一次话，告诉他们，"本在接下来的6个月里需要我。" 我需要大家早来晚归，我会给大家买晚饭，和大家一起守在这儿。我们决不能犯任何错误，因为我们的枪膛里只有一颗子弹，必须一击命中目标。

此时此刻，当我要求团队又一次做出巨大牺牲时，我感觉自己难受极了。但令人惊讶的是，在写作本书时，我发现自己当时应该感到高兴才对。下面是特德 · 克罗斯曼——我手下最出色的工程师之一，多年以后对此事以及启动 "达尔文计划" 所发表的看法：

在Loudcloud公司和Opsware公司的历史上，我认为“达尔文计划”是最有意思也是最艰难的一个计划。整整6个月，我每周工作7天，每天从早8点开始，到晚10点结束。大家全都开足了马力。我和妻子每周只有一次约会，时间从晚6点到午夜12点。第二天，即使是周六，我也得在早8点准时出现在办公室，一直待到吃完晚饭。回家时基本在晚上11~12点之间。每晚，大家都是如此。

我们面临的技术性问题非常艰巨，大家必须集思广益，找出解决办法，并将其转化成真正的产品。

这很困难，但很有意思。在那段时间，我不记得有人退出。每个人似乎都在想“我们一定要成功，否则我们就得滚蛋，去另谋出路”。我们是一支紧密团结的队伍。许多新员工都得到了锻炼和提高。将他们推入激流滚滚的大海，告诉他们：“好好游。”这对他们是一种宝贵的成长经历。

6个月之后，我们一举通过了以前久攻不下的产品研发的概念证明阶段。本给了我们很大的支持，他会及时给我们反馈意见，我们完成任务时，他会拍拍我们的肩膀，给我们鼓励。

8年之后，当我读到特德所写的这段文字时，我哭了。因为之前，我对此一无所知。我以为我了解他们，但其实我根本就不了解。我以为我对所有人要求太多，我以为在经历了Loudcloud公司那次生死存亡的危机之后，没有人愿意再次背负艰难使命孤注一掷。我真希望我当时就能明白这一切。

那次会议之后，给产品定性的艰巨任务就开始了。我们的现有客户对产品提出了无数要求，这令我们的产品计划压力重重。对于重点研发产品潜在的优良性能，而不是研发那些有可能打败BladeLogic公司的产品性能这一策略，产品管理团队的反应有些过激。他们说："我们明知那些要求是正确的，怎能弃之不顾，而去追求那些我们自以为有益的东西呢？"

事实证明，这正是产品策略的要义所在——研发出好产品是创新者的职责，而不是客户的任务。客户只知道根据对现有产品的体验来判断自己想要什么。创新者虽然可以考虑到所有可能的因素，却往往要做出和自己所了解的事实相悖的举动。因此，创新是知识、技能和勇气的结合体。有时，只有创新者才有勇气忽略那些事实数据。我们的时间已所剩无几，看来，我必须插手了。

"客户提出的这些要求，我统统不在乎。我需要你们彻底改造产品，我们必须打赢这场仗。"9个月之后，我们发布了自己的新产品，此时的我们终于有能力赢取所有的交易了。有新产品做强大的后盾，销售主管马克·克兰尼准备开战了。

克兰尼组建了一支高端销售队伍后，彻底更改了销售程序，并为所有销售人员制订了一项极其严格的培训计划。他要求大家必须完全精通销售策略。任何闪失，无论是技术上的、技能上的或知识上的，克兰尼都绝不容忍。

在我们每周一次的销售预测例会上，克兰尼都会在150人的销售团队面前对每一笔交易进行点评。在一次例会上，一位销售人员详细描述了自己的一位潜在客户："我的空头证券来自我的一位支持者，此人既是一位副总裁，也是采购负责人。他向我保证，他们肯定能在财政季度末完成这笔交易。"

克兰尼：你和那位副总裁所在团队的成员们谈过吗？

销售代表：还没有。

克兰尼：那你和副总裁谈过吗？

销售代表：也没有。

克兰尼：好吧，给我听好了。我告诉你应该怎么做。首先，用手摘下你的玫瑰色眼镜，然后取一个棉签，把你耳朵里的耳屎掏干净。最后，脱掉你的粉红色内裤，马上给那个副总裁打电话，因为你连个协议都没有。

克兰尼说得没错。原来我们真的没有签署协议，因为那位副总裁所在团队的成员并不赞成这笔交易。最后，我们终于和那位副总裁见了一面，达成了交易。更重要的是，克兰尼立下规矩：对待生意要绝对认真。

既然竞争地位已经提升，我们就要采取主动攻势。在每周的员工会议上，我加入了一个名为"我现在没有做什么？"的议程。通常，在员工会议上，大量的时间都用来进行回顾、评估以及改进员工们所做的事情，如研发产品、销售产品、服务客户、聘用员工等。然而有时候，你没有做的事却是你真正应该关注的事。

在一次会议上，“我现在没有做什么？ ”的问题提出后，所有员工一致认为：“我们没有实现网络自动化。”虽然，我们在Loudcloud公司时期所使用的Opsware的原始版本令我们的网络实现了自动化，但该软件并不强大。此外，那个紫色皮条客帽子的用户界面也格外刺眼。因此，当我们转身成为一家软件公司时，我们的重点就自然而然地放在服务器的自动化上，从未对此有过质疑。在Opsware公司运行的头几年，一切还算顺利，但现在，是时候推出我们的网络自动化产品了。

不幸的是，Jive组件并非一个完美的代码库，它无法实现商业化。我的选择是：1. 启动新项目；2. 购买现有的4家网络自动化公司中的一家。早在我当工程师时，我就懂得，在第一行代码编写完成之前，所有的决定都是客观的，此后的所有决定都是主观的。此外，我的团队里还有约翰 · 奥法雷尔这位业界资深的并购谈判专家，因此，在调整公司内部工作之前，我决定对其他公司先进行一番调查。

出人意料的是，在现有的4家网络自动化公司之中，我们认为拥有最好的产品架构的Rendition Networks公司的收入却最低。这令一些客户对我们的技术评估产生了怀疑。可是，世俗的观点和事实真相往往相去甚远，有效的市场假说都具有欺骗性。当Opsware公司每年有2 000万美元的合同在手，又有50位全世界最精明的工程师在侧，我们该怎样解释仅靠一半的流动资金就能进行交易呢？因此，在发现真相方面，市场并不“有效”，它只在得出结论方面非常有效，可这个结论往往是错误的。

确认收购网络自动化公司比研发网络自动化产品有利之后，我们通过谈判达成一项交易，以 3 300 万美元购买Rendition Networks公司。在完成收购的三个月之内，约翰和思科公司——世界上最大的网络公司——达成了一项交易，转售我们的产品。该交易包括一项协议：向我们预付 3 000 万美元，以获取转售许可。因此，仅思科公司的这一笔交易就帮我们付清了 90%以上的收购成本。

有时，问问自己“我现在没有做什么？”是个不错的主意。

最终的决定

随着更广泛的产品线的推出，公司的业绩开始稳步增长。我们在一片灰烬中创建的软件企业创造了高达 1.5 亿美元的营收额。随着收益的增长，我们的股票价格从每股 0.35 美元的谷底一路上涨，交易价格维持在每股 6~8 美元之间，有时交易市值会超过 8 亿美元。

不过，形势并不乐观。每一季度，我们都过得很艰难，竞争市场和技术市场瞬息万变。一种被称为“虚拟化”的技术正以雷霆之势占领市场，改变着希望实现网络自动化的客户的思维方式。事实上，在我看来，虚拟化技术也许是一种最终能使云计算服务得以实现的技术性突破。作为一家上市公司，我们永远都没法轻松起来。有一次，一个名叫雷切尔·海曼的激进股东认为我已经失控，她要求董事会将我开除，并立即转让公司，但她却罔顾了这一事实：我们的交易股价已达到每股 7 美元，是其所持原始股价的 10 倍。

尽管如此，我并没有丝毫退缩之意。每当有收购公司找上门来时，我的回答总是："恕不转让。"这个回答的巧妙之处在于，它既传达出我尚未打算转让公司之意，同时也为那些跃跃欲试的买家敞开了大门。"恕不转让"并不意味着我们不愿意听买家的出价，它只是意味着我们尚未做好转让公司的准备。因此，当易安信公司（EMC）暗示其有意收购我们时，我甚为吃惊。当时，我们的交易股价约为每股6.50美元，要我以这个价格转让公司，不可能。可是这次，易安信公司出价收购我们的消息被泄露给媒体，我们的股价一下冲至每股9.50美元，经济平衡由此被打乱，因为股价走高是完全错误的原因造成的。

具有讽刺意义的是，股价越是上涨，想要收购我们的公司就越多。在接下来的一个月里，明确表示有收购兴趣的公司多达11家。鉴于行业内部的不确定性和隐含的市盈率，我们反而不考虑这些兴趣太过强烈的公司。

于是，约翰和我给迈克尔·奥维兹打电话，希望得到一些建议。我们认为，作为潜在投标人之一的甲骨文公司最不可能出高价，因为该公司的财务分析过程非常严格。我们将这一点传达给迈克尔，询问他我们是否应该考虑甲骨文公司。迈克尔的回答非常经典："嗯，小伙子们，既然要赛狗，那就需要一只兔子。甲骨文公司就是这只兔子。"

有了这一策略，买家们纷纷踊跃出价，所有出价均为每股10~11美元，最高出价相当于我们目前股价38%的溢价。尽管大家认为这个溢价非常理想，但以每股11美元的价格转让公司还是让我心有不甘。我们的团队付出了太多的汗水，取得了太多的成就，我们的公司是如此出色。保持公司独立的风险是巨大的，但我依然想靠团队赌一把。我向董事会建议，我们不卖公司。

董事会非常吃惊，却对我给予了支持。尽管如此，由于他们对股东负有信托责任，因此，他们不得不向我提出尖锐的问题。“如果你不愿以每股 11 美元的价格转让公司，那有没有一个价格能令你愿意转让公司？”我认真考虑了一下这个问题。我曾答应过我的团队，如果我们成为某一领域的头号公司，我们绝不会转让公司。可市场究竟有多大呢？我的团队真的要继续吗？或者只是我一厢情愿地想要继续？如果我不试一下，我怎么会知道这些呢？由此，我在内心进行了激烈的思想斗争。

说到底，这是一场论辩——我和我自己之间的论辩。一方面，我认为虚拟化技术创造了大量的虚拟服务器实例，使得我们所做的事情比以往任何时候都更加重要。另一方面，我又反驳说，虽然这也许已成事实，但体系结构的改变会使我们的市场地位变得不稳。我和自己论战了数周之久，最后得出结论：局势正在快速发生变化，要想始终处于上风，我们必须对产品架构做出重大改变。而改变的关键是，了解团队的状态。他们打算接受另一个巨大的挑战吗？还是在漫长的艰苦跋涉之后，他们打算就此止步呢？我决定将自己的直接下属找来，开门见山地问问他们的真实想法。他们的回答非常明确：所有人都选择转让公司，只有一个人除外，这个人认为我们的机会依然很大。现在，一切都很明朗，只是价格问题。什么价格才合适呢？

和约翰·奥法雷尔经过了长时间的讨论之后，我决定公司转让的合理价格是每股14美元，约合16亿美元。我将这一数字汇报给董事会，他们认为这一价格过高，我们不可能获取这么高价位的出价。尽管如此，他们仍然支持我的决定。我告诉所有潜在的收购公司，我们只会考虑14美元或以上的标价。结果，没有一个买家出价。

一个多月过去了，没有任何回音，我认为并购会谈已经结束了。我开始重新专注于如何进行必要的改革，以使我们保持竞争力。但是紧接着，我接到BMC软件公司的CEO鲍勃·博尚打来的一个电话，他决定每股出价13.25美元。我毫不松口："鲍勃，这个价格确实很高，但我们想要的价格是每股14美元。"鲍勃说，他必须再考虑一下。两天之后，他又打来电话，答应每股出价14美元。哇哦，鱼儿终于上钩了。

约翰和我立刻召集其他的收购者，告诉他们，我们计划的报价已经有了出价。惠普公司依然兴趣不减，他们每股出价13.50美元，以确定我并非在虚张声势。我回应说，作为一家上市公司的CEO，我无法接受低于每股14美元的报价。惠普公司最终报价14.25美元，约合16.5亿美元现金。我们成交了。

当这一切都结束时，我无法相信，自己花了8年的时间和精力创建的公司就这么被卖掉了。我怎么可能这样做呢？为此，我大病了一场，不停地失眠，冒冷汗，呕吐，痛哭。然后我意识到，这是我职业生涯中所做过的最明智的决定。我们从零开始创建了一切，然后看着这一切再次回归原点，又将其变成了一个价值16.5亿美元的专营权。

在那一刻，我的商业生命似乎已经终结。我曾将我所认识的或所能找到的最优秀的人才招为己用，从创建公司到上市销售，其中的每一步我都亲身经历过。这一切，我永远也不想再来一遍了。可是，我从中学到了太多的东西，如果改弦易辙，这似乎是一种浪费。于是，我有了一个想法：创建一个新的风险投资公司。

我们将在第九章探讨这个想法，首先，第四章至第八章将会让你了解到我所学到的大部分经验教训，其中还添加了几个英勇事迹，这几个英勇事迹来自我经营Loudcloud公司和Opsware公司的亲身经历。

第四章　陷入绝境

对待确定或不确定的问题，我们有几种不同的方法，比如数学上的微积分方法和统计学方法。在一个确定的世界里，微积分方法占主导地位。通过这种方法，你可以对具体事物进行精确计算。向月球发射火箭时，你必须精确计算出它的飞行轨迹。这和你反复发射火箭，然后一步一步理出头绪的做法完全不同。是将火箭发射到月球？还是发射到木星？它会不会在太空中迷失方向？20世纪90年代，很多公司的行事风格都是只管发射，不管登陆。

但在未来那个不确定的世界里，占主导地位的却是可能性和统计学方法，世界会因此具有意义。钟形曲线[①]和随机

---

① 钟形曲线又称拉普拉斯–高斯曲线或正态曲线，它是一根两端低中间高的曲线。它首先被数学家用来描述科学观察中量度与误差两者的分布，后来被借用至心理学。

漫步[1]界定了未来的面貌。标准的教学观点是，高中应该取消微积分课程，代之以统计学课程，因为统计学课程非常重要和实用。一直以来，都有一股强大的思想转变潮流，即统计学思维方式将会推动未来的发展。

——Paypal联合创始人彼得 · 泰尔

当我正试图将Loudcloud公司的部分业务，即云计算服务卖掉时，我和比尔 · 坎贝尔见了一面，告诉他这笔交易的最新进展情况。这笔交易至关重要，如果没有它，我的公司肯定会破产。

我认真并简要地向他介绍了我们和两家有收购意向的公司的洽谈情况，比尔停顿了一下，看着我说："本，除了继续进行这项交易之外，你还要和你的法律顾问做好这样的准备：公司可能会破产。"在旁人看来，比尔似乎在劝我制订一个应急计划。而他的声音和眼神也告诉我，应急计划才是我们真正要考虑的计划。

这场谈话让我想起了一个朋友给我讲的一个故事，这个故事是关于他的弟弟——一个年轻的医生的。一名35岁的男子来找我朋友的弟弟看病。他看起来状态非常糟糕，眼神空洞，皮肤灰白。年轻的医生知道这名男子病情严重，却搞不清楚是什么病，于是找了一名年长些的同事来帮忙诊断病情。较有经验的医生给病人检查之后，就打发

① 随机漫步理论认为，证券价格的波动是随机的，像一个在广场上行走的人一样，价格将变成什么样，是没有规律的。

病人回家了。接着，他转身对年轻的医生说："他已经死了。"年轻的医生大吃一惊："你说什么？他明明刚从这儿走出去？"年长些的医生回答说："他还不知道自己死定了。他有心脏病，这个年纪如果得了心脏病，身体就很难恢复，他死定了。"三个星期之后，那位病人真的死了。

我觉得比尔是在告诉我，虽然我在四处奔走，竭尽全力地想促成交易，但我已经死了，只是我自己还不知道而已。对他而言，说出这番话是件非常困难的事，只有最好的朋友才会鼓足勇气，将这样可怕的消息告诉我。对我而言，听这番话更痛苦。他说这番话的目的是：面对逃脱不掉的破产厄运，我要在情感上先做好准备，在财务上让公司做好准备。在技术行业遭逢寒流期间，要达成一笔能够挽救公司于破产绝境的交易的概率接近于零。最有可能的结果是，我死了。

我从未制订那个应急计划。通过看似不可能的C轮投资和首次公开募股过程，我学到了一条重要的经验：创业公司的CEO不应该计算成功的概率。创建公司时，你必须坚信，任何问题都有一个解决办法。而你的任务就是找出解决办法，无论这一概率是十分之九，还是千分之一，你的任务始终不变。

最后，我真的找到了解决办法，和EDS公司达成了交易，公司也免于破产的命运。而对比尔，我并无怨恨。直到今天，我依然真诚地感谢他对我所说的肺腑之言。但我不相信统计学，我相信微积分。

人们总是问我："当一名成功的CEO的秘诀是什么？"遗憾的是，根本没有秘诀。如果说存在这样一种技巧，那就是看其专心致志的能力和在无路可走时选择最佳路线的能力。与普通人相比，那些令你最想躲藏起来或干脆死掉的时刻，就是你作为一名CEO所要经历的不同于常人的东西。在本章的剩余部分，我将提供一些经验，告诉大家在不退出或辞职的情况下，如何通过努力奋斗获得成功。

大多数管理书籍的重点都是如何正确做事，不要将事情搞砸。但我的经验却是，把事情搞砸之后，如何深刻理解那些你必须要做的事。好消息是，我和所有的CEO一样，有大量的这方面的经验。

我把这部分放在开头，虽然它涉及一些非常严肃的关于游戏终结的问题，例如怎样开除高管、如何解雇员工等。做这种事时，我遵循的是武士道的第一条原则：勇士之道，即始终将死亡铭记于心。如果一名武士始终将活着的每一天当成自己的最后一天，他就会在自己所有的行动中把握好自己的行为。同理，如果一名CEO能将下述经验铭记于心，他就会在招聘、员工培训，以及打造企业文化的过程中保持适度的注意力。

创业中的挣扎

创建公司之初，每一位企业家都怀揣着一个清晰明确的成功梦想。你会创造一个极其优越的环境，雇用最能干的人加入你的团队，你们会齐心协力，研发一款令客户满意的产品，让这个世界变得更美好。

为了使梦想成为现实，经过了无数个日夜的辛苦奋斗，你却发现，事情并没有按计划进行。从一开始，你的公司就没有跟上你所设想的步伐。你的产品出现了难以解决的各种问题，市场和你想象的大不相同，你的员工正在失去信心，有些人已经辞职。在辞职的员工中，有些人还是非常优秀的，他们的离去令剩下的人们开始怀疑继续留在公司是否明智。资金越来越少，风险投资家告诉你，由于近在眼前的欧洲经济危机，你的公司将很难筹集到资金。在一次竞争中，你输给了对手，失去了一个忠诚的客户，失去了一名极出色的员工。你的压力越来越大。究竟是哪里出问题了？你的公司为什么没有按预想的轨道运转？你真有足够的能力去实现梦想吗？当梦想变成了噩梦，你会发现，自己陷入了旋涡之中。

关于挣扎

生活就是苦苦挣扎。

——卡尔·马克思

挣扎是你想知道自己为什么要创办公司时的状态。

挣扎是人们问你为什么不退出，你却不知怎么回答时的状态。

挣扎是你的员工认为你在撒谎，而你却认为他们也许说得对的状态。

挣扎是你食之无味时的状态。

挣扎是你认为自己不应该当公司CEO时的状态，是你明知自己力不从心、明知无人能取代你时的状态，是所有人都认为你是白痴却没有人会炒你鱿鱼的状态，是自我怀疑变成自我憎恶时的状态。

挣扎是你在和别人谈话却听不到对方在说什么时的状态，因为你一直在挣扎。

挣扎是你想结束痛苦时的状态。挣扎就是痛苦。

挣扎是你去度假，想放松心情却使心情更差时的状态。

挣扎是你周围簇拥着一大群人，你却感到茕茕孑立、形影相吊时的状态。挣扎是冷酷的。

挣扎是违背承诺、粉碎梦想的地狱，是一身冷汗、五内俱焚的感觉。

挣扎不是失败，但会导致失败。如果你孱弱不堪，你更容易失败。

大多数人都不够强大。

从史蒂夫·乔布斯到马克·扎克伯格，所有出色的企业家都会经历挣扎，而且是苦苦挣扎，因此，人人都会挣扎。不过，这并不意味着你一定能挣扎成功。你也许会挺不过去，这就是挣扎的恼人之处。

挣扎是成就伟大的竞技场。

几条小建议

挣扎之苦无法可解，但有些小建议，我们不妨借鉴一下，它们会让你受益匪浅：

- **不要扛下所有责任**。人们很容易想当然地认为，令自己烦恼的事情一定会令自己手下的人更加烦恼。事实恰恰相反。除了负有最大责任的人以外，没有人会把损失当回事，没有人比责任人更感同身受。当你无法分担所有负担时，你要将某些负担分担出去，找尽可能多的人来共同解决问题，即使这些问题事关企业的生死存亡。经营Opsware公司时，我们在竞争中失去了无数笔交易，我召集了一次员工会议，告诉全体员工，我们目前被打击得狼狈不堪，如果不迅速止血，我们就死定了。那时，没有一个人退缩。团队精诚团结，成功研发了一款产品，拯救了濒临绝境的公司。
- **这不是国际跳棋，而是国际象棋**。科技行业往往极其复杂。底层技术只要一有变动，竞争就会发生变化，市场也会随之发生改变，而人们则会使出各种招术，以求自保。因此，就像《星际迷航》中下三维国际象棋一样，总有一步棋可走。你认为自己已经无路可走了吗？你觉得这步棋怎么样：凭着200万美元的后续收益以及340名员工的阵容带领公司上市，计划在下一年实现7 500万美元的收益？我走的就是这步棋。那是2001年，人们普遍认为，对一家要上市的科技公司而言，这是有史以来最糟糕的时机。走这步棋时，我手头只剩下能维持公司运营6周的资金。天无绝人之路，总有一步棋可走。

- **只要坚持下去就有转机。**在科技型竞争当中，明天和今天看起来完全不同。如果你能坚持到明天，也许就会发现，在今天看来似乎毫不可能的解决办法会赫然出现在眼前。
- **不要过分苛责自己。**公司身陷困境也许都是你的错，因为人是你雇来的，决定是你做的，而且接受任务时，任务的风险性你是知道的。每个人都会犯错，每位CEO都会犯无数错误。要正确评估自己，过分苛责自己于事无补。
- **请记住，这是区分男人和男孩的方法。**如果你想成就一番事业，这就是挑战。如果你不想，那你根本不应该开办公司。

小结

当你在拼命挣扎时，一切都很艰难，一切感觉都是错的。你已经掉进了万丈深渊，也许永远都出不来了。在我的亲身经历中，如果不是一些意外的运气和贵人相助，我也许早就迷失在深渊之中了。

因此，所有在深渊中苦苦挣扎的人们，愿你们找到力量，找到安宁。

CEO必须实话实说

对于公司创建者或CEO而言，最重要的一条管理经验就是要绝对保持理性。作为CEO，我个人最大的一项进步就是我停止使用过于积极正面的管理方式。

作为一名年轻的CEO，我感觉压力很大——员工们要仰赖于我，要对他人上千万美元负责，而有时，我并不知道自己在干什么。在这些压力之下，我很在意各种损失。如果我们没能赢得客户、错过了一次会见，或运送的产品出了点儿状况，这些都会令我感到异常沉重。我以为，如果将这些问题转移给员工，事情就会变得更糟。因此，我认为我应该尽力表现出一种积极乐观的姿态，让大家毫无负担、一心一意地去赢取胜利。而实际上，我错了。

我是在和姐夫卡修的一次谈话中意识到自己的错误的。当时，卡修是美国电话电报公司（AT & T）的一名电话线路修理工。当时，我刚和该公司的一位名叫弗雷德 · 约翰逊的高级管理人员见过面，因此特别想知道卡修对弗雷德的看法如何。卡修说："嗯，我知道弗雷德这个人，他每个季度大概会过来一次，跟我说些无聊的空话。”就在那一刻，我知道一直以来我的管理方式都是错误的，因为它过于积极正面。

在我看来，我一直通过积极强调正面影响、忽略负面影响的方式来激励所有人。但我的团队很清楚，现实要比这更加微妙。他们已经看到，这个世界并不像我所描述的那么美好，却依然不得不听我在每次公司大会上说些形势一片大好之类的无聊空话。

我怎么会犯这样的错误？这个错误为什么如此严重？

鼓励式管理造成的错觉

作为公司的最高管理者，我以为我能从容应对坏消息。但事实刚好相反，面对坏消息，我比任何人都紧张。让我彻夜难眠的事，工程师们却并不在意。毕竟，我是创办公司的CEO，是那个和公司息息相关的人。一旦发生可怕的差错，他们可以一走了之，我不能。因此，面对损失，员工们会更加冷静。

更愚蠢的是，我以为我唯一的职责就是为公司解决问题。如果我早就想明白这一点，我就会意识到，只有我一个人操心，根本没有任何意义。例如，担心这个产品不够完善，但实际上，编写代码修复产品的人不是我。

更好的办法是，将问题交给不仅有能力修复产品，而且对修复产品充满兴趣和动力的人。假如我们失去了预期的一笔大交易，整个公司必须搞清楚其中的原因，这样才能共同解决我们在产品、营销和销售流程中出现的各种问题。如果坚持将问题留给自己，那么问题就很难被解决。

为何要实话实说？

对公司出现的问题做透明化处理很重要，主要原因有三：

1. 信任

没有了信任，沟通就会中断。具体来讲就是：

在人类的所有交往之中，沟通量与信任程度成反比。

请考虑下述情况。如果我完全信任你，我就不需要你对自己的行为或其他举动进行解释，因为我知道，你所做的一切，无论什么，都符合我的最大利益。反之，如果我不信任你，那么再多的谈话、解释或说理对我都没有任何影响，因为我不相信你说的是真话。

在公司里，这一点十分重要。随着公司的成长，沟通成了公司最大的挑战。如果员工完全信任CEO，沟通的效率就会大大提高。实话实说就是建立这种信任的关键。一名CEO在一段时间内拥有这种被信任的能力，往往是一家管理良好的公司和一家管理混乱的公司之间最大的差别。

2. 参与解决问题的人越多越好

为了创建一个出类拔萃的技术公司，你必须雇用大量的精英人才。而不让这些精英人才参与解决公司最大、最棘手的问题完全是一种浪费。一个人，无论多么出色，他都无法解决自己不了解的问题。正如开源社区所倡导的："只要有足够多的眼睛，就可让所有问题浮出水面。"

3. 健康的企业文化就像过去的路由信息协议：好事不出门，坏事传千里

纵观那些失败的公司，你会发现，很多员工早在公司倒闭之前就知道公司的症结是什么。既然知道这些致命的问题，他们为什么不说呢？原因往往是该公司的文化阻碍了坏消息的传播，真相始终处于隐匿状态，等到采取行动时却为时已晚。

健康的企业文化会鼓励员工公开坏消息。只有允许自由并公开讨论问题，公司才能迅速解决问题。企图掩盖问题只会令所有员工感到灰心。因此，CEO应该采取的做法是：建立一种奖励文化，而不是惩罚文化，对那些公开提出问题并为其找到解决办法的人予以奖励。

可见，我们要谨防那些阻止信息在公司内自由流动的所谓管理箴言。例如，"如果拿不出解决方案，就不要把问题报告给我。"如果有一个重大问题，员工解决不了怎么办？如果有一名工程师发现某一产品的营销方式存在一个重大缺陷，他该怎么办？难道你真想让他将这一问题埋在心里吗？诸如此类的所谓管理箴言在理论上也许是员工们追求的理想，但也有可能阻碍信息的自由流动，而这些信息对公司的健康发展也许至关重要。

最后一点想法

只有经营过公司，你才会体验到那种巨大的心理压力，才不会过于乐观。作为CEO，你要勇敢面对压力，直面恐惧，实话实说。

如何解雇员工？

将Opsware卖给惠普公司之后，我和红杉资本公司（Sequoia Capital）颇具传奇色彩的风险投资家道格·莱昂内有过一次谈话。他想让我讲述一下在没有进行资本重组的情况下，我们是如何在全世界的关注之下从注定破产的绝境一跃成为收益高达16亿美元的大赢家。

我将个中细节原原本本地告诉了他，包括公司数次濒临破产、股票价格跌至每股0.35美元、媒体恶评如潮，以及令我们失去多达400名员工的三次大规模裁员。听完之后，最令他感到惊讶的是后者。在风险投资领域工作的20多年中，他从未见过哪家公司在接连不断的裁员之后还能恢复元气，取得10多亿美元的辉煌业绩。由于我个人的经历都是特例，因此我想了解更多情况。我问他，为什么其他创业公司会失败。他回答说，因为裁员破坏了公司的企业文化。见到自己的朋友纷纷被辞退，员工们就不再愿意为公司建设继续做出必要的奉献。他说，尽管公司有可能在某一次裁员之后安然无恙，但要想取得巨大的成功几乎不太可能。他接着说，在三次接连不断的大规模裁员以及知名媒体杂志恶评如潮的情况下，我们的业务竟然实现了如此高的价值，这简直违背了风险资本行业的规律。他很想知道我们是怎么做到的。仔细思考了这个问题之后，我将这一过程分为6个步骤。

回想起来，在多次大规模裁员之后，我们之所以还能保持企业文化的延续性，留住最优秀的员工，其原因是我们在裁员时采取了正确的方式。这听起来也许很奇怪，怎样才能用“正确的方式”去做原本是错误的事情呢？方法如下：

第一步：保持头脑清晰

如果公司没能实现自己的财政计划，形势严重到了必须辞退那些不惜重金聘请而来的员工的地步，这对CEO而言，无疑是巨大的压力和沉重的负担。在我们公司第一次裁员的过程中，有人曾转发我一封员工之间的往来邮件。在邮件中，一名比较精明的员工写道：“本要么是在撒谎，要么就是愚蠢透顶，或两者兼而有之。”我记得自己读到这句话时在想：“我真是愚蠢透顶。”在这样的时刻，我们很难顾及未来，因为过去会将你压得毫无喘息之机，而这正是你必须要面对的。

第二步：当机立断

一旦决定裁员，那么必须尽快执行。如果走漏消息，就会横生枝节，麻烦不断。员工会质询管理者，公司是否要裁员。如果管理者不知情，员工就会认为他愚蠢。如果知情，他要么不得不向员工撒谎，令消息进一步走漏，要么保持沉默，令群情更加激愤。在Loudcloud公司和Opsware公司的第一轮裁员过程中，我们没有处理好这一动态关系，但在后来的两次裁员中，我们的表现还算可以。

第三步：对裁员的原因要有清晰的认识

进入裁员程序后，董事会成员有时会说一些有积极意义的话来安慰你。他们也许会说，“这是个大好机会，可以简化业务程序”。这也许是实话，但不要让这一点扰乱心神，从而将错误的信息传递给公司。公司之所以裁员是因为其未能实现自己的计划。如果公司裁员的唯一原因是个人绩效问题，那就要另当别论了。裁员的真正原因是公司业绩欠佳。这一区别十分关键，因为传递给公司和被辞退人员的信息不应该是“裁员非常必要，我们要借此机会考核大家的工作绩效”，而是“公司经营不善，为了继续发展，我们不得不忍痛辞掉一些优秀的员工”。承认失败似乎没什么了不起，但请相信我，这实际上非常了不起“。请相信我”是CEO每天要对自己的员工所说的一句话——请相信我，我们公司前景无限；请相信我，这对你的事业大有裨益；请相信我，这会令你过上幸福的生活。可是，一次裁员就令这种信任瞬间坍塌。为了重建信任，你必须实话实说。

第四步：对管理人员进行培训

整个裁员过程中最重要的一步就是培训管理团队。如果将未经培训的管理人员置于裁员这一极为尴尬的情境之中，他们大部分都会无法应对。

对管理人员的培训需遵循一条黄金法则：自己的员工要自己亲自辞退，不能将这项工作推卸给人力资源部门或某个更严厉的同事，不能像电影《在云端》中那样雇用一家外包公司来完成。

为什么这么严格？为什么不能找些强势的管理者出面，替你完成这一棘手任务？因为人们不会记得自己在公司效力的每一天，但他们一定会记得你将他们开掉的那一天。他们会记得那一天的每一个细节，这些细节关系重大。公司的声誉和管理人员的声誉都取决于你的表现：昂首挺胸，勇敢面对那些曾经信任你并为你辛勤工作的员工们。员工们会想：既然你雇用了我，我勤勤恳恳地为你埋头苦干，我希望你能有勇气亲自辞退我。

只要你清楚地认识到管理者必须亲自裁掉自己的员工，那么，接下来，他们就要为此做好充分的准备：

1. 向员工简要解释目前的局势，告诉员工这是公司经营不善所致，与个人表现无关。

2. 向员工明确指出：员工人数过多，裁员不容商榷。

3. 对公司计划提供的福利和补贴等所有相关细节都要做到了然于胸。

第五步：向公司全体人员发表讲话

在执行裁员决定之前，CEO必须向公司全体人员发表讲话。在向大家通报总体情况的过程中，CEO必须为管理者们解释裁员的合理性。如果这一点做得好，管理人员在裁员时就会更加容易。务必牢记财捷集团前CEO比尔·坎贝尔告诉我的一句话：话是说给那些留下来的人听的。这些人会非常关心你对待他们同事的方式。你裁掉的员工之中，有很多人都和留下来的人关系亲密，因此，你一定要给予他们足够的尊重。毕竟，公司还要向前发展，因此你必须把握尺度，不要过度表达歉意。

第六步：一定要让大家看见你，你一定要在公司出现

在向公司全体人员发表讲话、告诉大家许多人将被辞退之后，你也许会不愿意在公司里四处走动，和大家交谈，而更愿意去酒吧喝几杯龙舌兰酒。千万别这样。一定要在公司出现，一定要让大家看见你，一定要积极参与公司事务。大家都想看看，你是否在乎他们。你裁掉的人想知道他们和你、和公司是否还有关系。你一定要和大家交谈，帮他们把东西搬上汽车，让他们知道你对他们付出的努力心存感激。

如何裁掉高管?

在招聘高管时，你会极力向对方描绘加入公司后的美好未来，甚至会不厌其烦、绘声绘色地描述加入你的公司要比加入其他公司前途更加光明。然后有一天，你意识到必须解雇他。那么，他只能接受现实。

事实证明，与解雇其他人相比，解雇高管相对比较容易。高管都解雇过别人，而且往往十分专业。因此，以正确的方式解雇高管要稍微复杂一些，而且极其重要。如果没有掌握正确的方法，你很快就会再次面临同样的问题。

与其他许多事情一样，以正确方式解雇高管的关键在于准备充分。以下 4 个步骤会教你如何以公平、公正的方式解雇高管，提高公司的工作效率。

第一步：分析根本原因

尽管你可以以表现不佳、能力不足或工作懒散为由解雇高管，但这些理由大多数时候并不成立，而且相对随意。因此，除非你的解雇程序并不正规，否则上述各项也许无法成为你解雇他们的理由。在这一层面上，几乎每一家公司都会从技能、积极性和业绩记录这几个方面寻找理由。其实，你之所以要解雇他们，并不是因为他很差劲儿，而是因为你自己很差劲儿。

换句话说，认为解雇高管是因为他们表现糟糕的这种观点是错误的。事实是，解雇高管是因为公司的面试或整合系统出了问题。因此，正确解雇高管的第一步是，搞清楚自己为什么给公司招错了人。

此前，你也许因为各种原因，并没有搞清楚这些问题：

- **对高管的职责定位不清。**连自己想要什么都不知道，更别说招聘高管的标准了。很多时候，CEO们仅凭自己对高管这一职位不切实际的想法和主观感觉来进行招聘。这种错误的做法往往导致所招高管缺乏关键的、必要的才能。
- **招聘高管时，看重的不是对方的长处，而是对方没有弱点。**在进行群体面试时，这种做法尤为普遍。招聘小组往往在应聘者身上吹毛求疵，并不关注他是否具备你所需要的、作为一名世界一流的管理者的特质。因此，以这样的方式招来的高管也许没有明显缺点，但在你需要他大显身手时却表现平庸。如果你招聘的人不具备你所需要的世界一流的实力，你的公司也就成不了世界一流的公司。
- **小庙偏招大和尚。**一直以来，风险资本家和高管招募人员给

CEO们的错误建议是：要按高于招聘标准的原则招人。他们会说，“想想未来的3~5年，公司规模将会有多大”。如果公司规模很大，那么能招到一个有本事运作大规模公司的人，这当然再好不过。如果打算快速壮大公司规模，那么能招到一个内行人也很有必要。但是，如果公司规模不大，而且你也没打算壮大公司规模，那么招的人只要能胜任接下来的18个月的工作即可。如果你要招的人在18个月后才会崭露锋芒，那么还没等他有机会一展才华，公司就会将其拒之门外。因为公司其他员工肯定会心有不平：他又没做出任何贡献，我们凭什么要给他优先认股权？这类问题可能会频频出现。事实证明，风险资本家和高管招聘人员说得也有一定道理，他们只是从以前的失败中吸取了错误的教训而已。

- **对招聘职位一概而论。**世界上并没有永远了不起的CEO、营销负责人或销售负责人。这名销售负责人的了不起之处仅限于在你的公司，在接下来的14~24个月之内。他的这一职位和微软公司或脸谱网（Facebook）的同一职位并不相同。不要招那种类型化的应聘者，这不是拍电影。
- **管理人员的个人抱负和公司目标相悖。**我将在第六章详细描述公司追求的目标和个人抱负之间的差异。如果管理人员的个人抱负和公司目标相悖，就算他的才华再出众，公司也会将其拒之门外。
- **没能令管理人员融入公司。**将新人引入公司并委以重任非常困难。其他员工很快会对其评头论足，该新人的期望也许和你不同，其工作在很大程度上也许并不明确。因此，在解雇高管之后，一定要检查并改进公司的人才招聘计划。

有关公司规模的特殊情况

解雇高管的一个相当普遍的理由是，当公司规模扩大到原来的4倍，高管的工作效率就会变低。因为在这时，管理工作就会变成全新的工作，每个人都需要重新定位自己，以适应新的工作。经营一家有着200名员工的全球性销售公司和一个只有25人的本地销售团队大不相同。幸运的话，你雇来的管理25人团队的人也许慢慢学会了管理200人的团队。如果不走运，你就要为新的工作任务另聘合适的人选。这既不是管理人员无能，也不是公司系统错误，这是现代社会的真实生活。不要试图避免这种情况，这只会让事情变得更糟。

有关公司快速扩大规模的特殊情况

如果你研发出一款非常棒的产品，市场也很需要这款产品，你就会发现，自己迫切希望公司以极大的速度发展壮大。要想成功实现这一愿望，除了聘用合适的管理人员之外，别无他法。所谓合适，是指这个人曾有令其他规模相当的公司迅速壮大的成功经验。请注意，这与直接继承一个规模很大的公司或以你自己的方式运行一个规模很大的公司完全不同。一定要确保你聘用的是有快速发展能力的管理者。此外，如果你还没准备给他们大量的预算去发展他们自己的组织机构，那就不要聘用他们，让他们保持当前状态即可。经验丰富的、有快速发展能力的管理者对建设成功的创业公司来说很重要，以至于招聘者和风险资本家往往还没等公司做好准备，就极力建议CEO们将他们招进公司。

一旦明确了这些问题，接下来的步骤就会变得很容易。

第二步：告知董事会

告知董事会要讲究技巧，很多问题有可能令你的解雇高管计划变得更加复杂：

- 这是你不得不解雇的第五或第六位高管。
- 这是同一职位上你解雇的第三位高管。
- 要解雇的这名高管，当初可是被董事会一位成员当作超级管理新星举荐而来的。

要意识到，以上任何一种情况都会令董事会感到焦虑不安，对此，你无能为力。请记住，你的选择是：1. 令董事会焦虑不安；2. 让工作效率低下的高管继续留在其工作岗位上。虽然第一个选择并不高明，但与第二个选择相比却要好得多。任由一名无能的领导留在其工作岗位上会令整个公司陷入困境。一旦发生了这种情况，董事会要面临的就不仅仅是焦虑不安了。

就棘手的解雇高管计划与董事会进行沟通时应该实现三个目标：

- **得到他们的支持和理解。**首先应确保他们理解实施该计划的根本原因以及你所提出的相应补救措施，这会让他们相信你将来有能力聘用并管理好更优秀的高管。
- **获取他们的意见，让他们批准解雇补偿金区分方案。**这对下一个步骤至关重要。高管的解雇补偿金应比普通员工的解雇补偿金数额更高。因为与一名普通员工相比，一名高管重新找到一份工作的时间要多10倍。
- **保护被解雇高管的声誉。**高管的失职很可能是一个团队集体造成的结果，你最好以这种方式对之加以解释。将曾经为你勤勤恳恳工作的人贬得一文不值并不会令你自己的形象更加高大。以成熟、理性的方式处理这一问题有助于保持董事会对你作为CEO所具有的能力的信任。同时，这样做也不失公平。

事实证明，解雇高管的消息最好先通过电话的方式进行个别通知，不要在董事会会议期间出其不意地宣布。虽然前者所花时间要长一些，却值得一做。如果这名高管是由董事会成员举荐而来的，打电话进行个别通知就显得尤为重要。等到所有人都同意之后，你就可以召开一次董事会，敲定所有细节。

第三步：为面谈做好准备

当你知道了问题的根源，并已通知董事会之后，就应该尽快将消息告知即将被解雇的高管。在准备与其谈话时，你最好将自己打算说的话先写下来或预演一遍，以免说错话。在今后很长一段时间内，这位高管都会记得你所说的话，所以你的话一定要得当。

作为准备工作的一部分，你应该对这位高管所有的业绩考核或书面业绩评价进行仔细复查，搞清楚这些数据是否与自己之前所了解到的数据存在不一致之处。

处理好这一问题有三个关键点：

1. 原因要清楚。你对解聘原因已经艰难地思考过很长时间，因此不要含糊其词或避重就轻，必须让他们清楚你要解聘他们的原因。

2. 说话要果断。不要给讨论留下悬念。这不是一次业绩考核，而是一次解雇行为。要使用诸如“我已经决定”而不是“我认为”这样的措辞。

3. 确定解雇补偿金区分方案。一旦高管听到解雇消息，其关注的重心就会从公司及其相关问题转移到自己和家人身上。因此，你要为解雇补偿金区分方案提供具体细节。

最后，高管会非常想知道解雇的消息将会以怎样的方式向公司以及公司以外进行宣布。这一方式最好由他自己来决定。有一次，我正准备解雇一名高管，比尔·坎贝尔给了我一条非常关键的建议，他说：“本，你无法让他保住自己的工作，但你绝对可以让他保住自己的尊严。”

第四步：准备向公司宣布消息

通知高管之后，必须立即向公司以及其他高管宣布这一新的人事变动。向公司宣布消息的正确顺序是：1. 该高管的直接下属，因为他们所受影响最大；2. 其他高管，因为他们需要就此事回答一些问题；3. 公司其余员工。所有这一切都应该在同一天进行，最好在一两个小时之内完成。向该高管的直接下属宣布消息时，请确保你对相关工作已有明确部署，例如，他们在此期间应向谁汇报工作，以及接下来的工作安排。一般情况下，比较明智的做法是，CEO在此期间暂代高管之职。一旦担负起这个职责，你就必须尽职尽责，例如召开员工会议、一对一面谈、制定目标等。这样做有助于保持团队的凝聚力，并在很大程度上告诉大家，接下来你会聘谁担任新的高管。

向董事会宣布最新的人事变动消息时，一定要用积极正面的方式，不要给人“一脚将高管踹出公司”的感觉。公司里最优秀的员工有可能是这位高管最好的朋友，贬损他只会令这些人心寒，担心自己会落得和他一样的下场。难道这是你想传达给他们的信息吗？

此时，你也许会担心员工们曲解消息，以为公司陷入了困境。不要在意这类反应。如果你希望员工们行事能像大人一样，他们一般都会如你所愿。如果你把他们看成孩子，那你的公司就会上演一幕热闹非凡的《班尼紫色小恐龙》动画剧。

小结

所有的CEO都喜欢夸赞自己经营的公司了不起。但这一说法的真实性很难得到检验，除非该公司或CEO自身处理过极其复杂的难题。解雇高管就是一种很好的检验方法。

给好朋友降职

开创Loudcloud公司之初，我请来的都是我所知道的最优秀的人才，我尊重他们，信任他们，喜欢他们。他们之中有很多人就像我一样，在我给他们分配的工作中经验并不丰富，但他们一边废寝忘食地工作，一边不断学习，为公司做出了巨大的贡献。然而，有一天，我需要雇用新的、更有经验的人来承担我此前委托给这些忠诚好友的职责。天啊，我该怎么做呢？

这么做应该吗？

每当这时，跃入脑海的第一个问题总是，“我真的必须这么做吗？我还有可能雇到一个像他一样工作这么卖力、为公司不惜流血流汗的人吗？”可叹的是，如果你问了这个问题，说明你很可能已经知道了答案。如果你要建立一个全球性的销售组织，那么曾帮你打过头阵的好友几乎都不是最佳人选。要想解决这一难题，你应该进行全盘考虑。

你必须首先考虑所有员工，其次才是你的朋友，个人利益必须服从整体利益。

如何宣布消息？

做出决定之后，宣布消息并非易事。要考虑到你的朋友可能会产生两种非常强烈的感受，这一点非常重要：

- **尴尬**。不要低估这种感受在他心里产生的巨大影响。他所有的朋友、亲属和同事都知道他当前的职位。他们知道他工作多么勤奋，为公司做出了多大的牺牲。他该如何向他们解释自己即将退出高管团队？
- **背叛**。你的朋友无疑会有这种感觉：我从一开始就在公司打拼，和你并肩作战，你怎么能这样对我呢？而且你在工作上也不见得有多完美，你怎么能如此心安地一脚把我踢开呢？

上述这些情绪都非常强烈，因此你要为即将面对的激烈讨论做好准备。事实上，应对情绪性讨论的关键是冷静。要想做到这一点，你头脑中必须非常清楚自己的决定是什么，自己想要做什么。

最重要的一个决定是：确定自己真的想这样做。在降职讨论阶段，如果你还尚未做出决定，你就会制造出一个烂摊子：局面一塌糊涂，关系一团乱麻。作为决定的一部分，你必须心平气和地接受该员工也许会辞职的想法。鉴于他情绪可能会非常激动，他也许会想留下来。如果你舍不得失去他，就不要做降职决定。

最后，你必须为他在公司里找一个最佳职位。让他在新上司手下继续效力虽然是顺理成章的事，但对他、对他的上司，或对他的职业生涯而言，这却未必是最佳选择。这位忠诚的员工对公司、竞争、客户以及市场颇为了解，这是他的新上司所不及的。一方面，他能帮助新上司快速厘清形势；另一方面，由于这其中混杂了尴尬和背叛这种激烈的情绪，因此他也有可能从中作梗。

这种方法的另一个弊端是，从职业发展道路的观点来看，很难想象他将以何种身份向老上司汇报工作。如果有可能的话，可以将其调到公司另一个部门，让他的技术、才能以及知识发挥所长。这种调动会令他有机会掌握一套新的技能，从而令公司受益匪浅。对于年轻员工而言，能在不同的领域获取经验是非常值得的。

可叹的是，这个办法也许并不明智。他可能不想换工作，一心一意就想做目前的工作，因此你也要对此有所准备。

当你已经决定要请人来做你朋友的上司，也给朋友安排好了新的岗位，你就可以找他谈话了。请记住，你无法让他继续做原来的工作，但你可以做到公平诚恳。下面是几条重要建议：

- **说话要得体**。明确自己要说的话。要用“我已经决定”而不是“我觉得”或“我想”这样的措辞。这种说话方式可以避免将员工置于尴尬境地，即不清楚自己是否应该向你争取保住原来的工作。虽然你无法让他继续留用，但你可以做到坦诚。

- **承认现实**。如果你像我一样是一名公司创始人兼CEO，你的这位朋友很可能会觉得你也不能完全胜任自己的工作。不要回避这个事实。如果你是一位有经验的CEO，你就要承认这一点。
- **承认他的贡献**。如果你想让他继续留在公司，就应该坦白告诉他，让对方清楚地知道你想帮助他发展他的事业，为公司做贡献。让他知道你感谢他所付出的一切，你对他的降职决定是出于公司长远发展的需要，而不是对他过去工作表现的审查。处理降职问题的最佳方案就是提高补偿金额度。这样，他会感到自己既得到了肯定，也受到了重视。

在处理上述问题的过程中，一定要记住，事实就是事实，无论你说什么都不会令其发生改变，也不会令你的苦恼烟消云散。你的目标不应该是拔出蜇人的刺棘，而是要坦诚、清晰、有效地告知好友降职的消息。你的朋友也许当时不理解，但随着时间的推移，他会逐渐明白的。

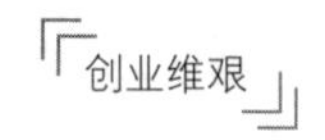

失败者的谎言

当公司开始在重大竞争中屡屡失手时，真相往往会成为众矢之的。管理者和员工会绞尽脑汁地编造一些颇具创意的说辞，帮助自己逃避显而易见的真相。尽管他们极具创意，很多公司最终做出的解释往往都是老生常谈，不足以令人信服。

一些耳熟能详的谎言

“他辞职了，不过我们本来就打算辞掉他，而且他的业绩评价也不合格。”高科技公司往往将员工流失的原因归为三类：

1. 自己辞职。

2. 被炒鱿鱼。

3. 自己辞职，但因为公司本来也不想再要他，因此对公司不会造成影响。

令人感到好奇的是，当公司开始努力奋斗时，第三类人员的增长速度似乎总是比第一类人员快得多。此外，在那些声称有着“超高人才标准”的公司，经常会突然出现一些不完全关乎业绩表现的人才流失。那些天才般的员工怎么会从堪当大任一下子变成了百无一用？还没等你说出“不希望裁员”的话来，一名最出色的员工就离你而去，对此，管理者不厌其烦地解释这名员工的业绩下滑得多么厉害，这到底是怎么回事呢？

“我们本来已经赢了，可惜有人把交易信息泄露了出去。”“客户看上了我们的技术，认为我们公司更理想，但我们的竞争对手却窃取了产品信息。我们绝不会以如此低的价格销售产品，这会令我们的声誉受损。”那些曾管理过企业销售人员的员工，以前肯定听说过这种谎言。你开展了一项业务，努力拼搏，结果却失败了。销售代表由于不想成为众矢之的，就会怪罪于另一家公司的销售代表。CEO由于不愿意相信自己的产品正在失去竞争力，就会相信销售代表的话。如果你听到这种谎言，就要尽力去和客户一起验证其真实性。但事实是，你往往做不到。

“我们没有完成中期目标并不意味着我们完成不了自己产品时间表中的总体目标。”有些项目会议面临着很大的压力——客户的承诺、业绩以及某种竞争性优势——所有人在这种会议上都希望听到好消息。当事实和好消息不一致时，聪明的管理者会用各种说辞来让每个人的感觉都更加良好，直到下一次会议召开。

“我们的客户流失率非常高，但只要向用户群开启电子邮件营销，他们就会回来。”说得一点儿没错，肯定会如此。人们不再选择我们的服务，也不再回头。其原因是，我们给他们发送的广告邮件不够多。这在我听来也是完全有道理的。

那么，谎言究竟从何而来？

为了回答这个问题，我回想起多年前和安迪·格鲁夫的一次谈话。

在 2001 年互联网泡沫即将结束时，所有大型科技公司纷纷开始出现巨额亏损，我搞不明白为什么没有人预见这一情况。有人认为，2000 年 4 月的网络泡沫破灭之后，思科、希柏（Siebel）和惠普这类公司应该意识到，它们将很快面临经济增长减速，因为它们的很多客户都遭遇瓶颈。但是，所有 CEO 都无视这有史以来也许是规模最大、最明显的预警信号，一再做出强劲发展的指示，直至其季度目标全部落空。

我问安迪，这些精明能干的 CEO 为什么不明确道出公司即将到来的命运？

他说，他们并不是在欺骗投资者，而是在欺骗自己。

安迪解释说，人，尤其是那些创建事物的人，只愿意听好消息。例如，如果一名 CEO 听说自己申请项目的业务量超过了一个月正常增速的 25%，他就会放开手脚，雇用更多的工程师，以满足即将出现的需求高峰。如果其业务量比一个月的正常增速减少了 25%，他就会以同样激烈、迫切的方式找理由进行辩解：“那个月网站速度太慢，放了四次假，我们对造成所有问题的用户界面进行了调整。看在上帝的分上，大家不要惊慌！”

如果这个说法听起来太老套，而且你也很想知道为什么你的员工都在对你撒谎，那么准确答案就是：他们不是在骗你，而是在骗自己。

如果你听信他们，你就欺骗了自己。

笨办法才最有效

我在网景公司任职早期时发现，微软的新网络服务器和我们的网络服务器的功能一样，但速度却比我们快 5 倍，而且还是免费开放的。我立即开始着手，打算将我们的服务器产品改换成某种能赚钱的产品。已故的、极其能干的迈克 · 荷马和我开始紧急制订一套合作和收购方案，以拓宽产品线，为网络服务器研发更多的功能，只有这样，我们才能应对竞争，并在竞争中生存下来。

我激动不已地向我的技术部负责人比尔 · 特平讲解这一计划，他看着我，好像我是个无知的小孩子一样。比尔早在宝蓝公司（Borland）任职时，就开始和微软展开了竞争，是一员经营丰富的老将。他明白我想干什么，却对我的想法不以为然。他说："本，你和迈克想出的那些妙计的确不错，但人家的网络服务器比我们的快了 5 倍之多，这是无法改变的。这个计划行不通，我们只能踏踏实实地用笨办法。"

听了比尔的建议之后，我们开始让技术团队着重解决产品性能问题，我们自己则在幕后处理其他问题。最终，我们的产品在性能上打败了微软的产品，服务器产品线的价值增长到4亿美元，如果不是那些笨办法，我们永远无法实现这一切。

这条经验我用了很多年。6年后，我成为Opsware公司的CEO，我们最大的竞争对手 BladeLogic公司开始在一些大型交易中战胜我们。由于我们是上市公司，因此这些损失非常引人注意。更糟糕的是，我们必须赢得这些交易，以粉碎华尔街对我们所做的悲观预测，所以，公司上下感觉压力很大。很多人都来找我献计献策，以避免竞争冲突：

- “研发该产品的精简版本，面向低端市场。”
- “收购一家结构更简单的公司。”
- “专注于当服务供应商。”

所有这些方法都进一步强化了我的一个看法：我们面临的不是市场问题。客户们一直都在购买，只是没有购买我们的产品而已，但对我们来说，更换产品显然不是时候。于是，我对每一位前来献计献策的人说出了同样的一番话：“没有任何良策可以改变这种局面，我们只能用笨办法。”这话他们虽然不爱听，却令事情变得十分清晰：我们必须研发一款更好的产品，除此之外，别无出路。没有窗户、没有地洞、没有安全出口、没有后门。我们必须穿过前门，和堵住我们出路的敌人较量一番。

一连9个月，我们都在艰苦奋战，一心研发新的产品，最终夺回了产品的领先优势，公司价值最终达到了16亿美元。如果不是靠这些笨办法，我想我们公司的最终价值大概只有16亿美元的十分之一而已。

在生意场上，也许没有什么比面临生存威胁更可怕的了。很多公司或企业中的人都会不惜一切代价，避免这种威胁。他们会寻找一切可替代物，一切出路，一切借口，只为了在一场竞争中生存下去。启动广告宣传时，我经常能碰见这种情况：

企业家：我们的产品目前是市场上最好的，所有客户都喜欢我们的产品，他们更愿意选择我们的产品，而不是我们的竞争对手的产品。

我：可为什么竞争对手的收入是你们的5倍呢？

企业家：我们正在与其他公司以及原始设备制造商合作，因为我们不能像竞争对手那样建立一个直销渠道。

我：为什么不能呢？既然你有更好的产品，为何不奋力一搏？

企业家：呃……

我：快省省吧，别再找什么妙计了。

所有公司在发展过程中总会遇到必须为公司生存而战的时刻。如果你发现自己在本该英勇奋战的时候却逃之夭夭，你就要问问自己：“如果我们的公司无法取胜，那我们还有存在的必要吗？”

没人会在意

只管去赢，宝贝。

——艾尔 · 戴维斯

在Loudcloud公司的那段艰苦的岁月里，我心里常常在想：我怎么可能对这一切早有准备呢？我怎么会知道我们一半的客户会纷纷破产呢？我怎么会知道私募市场居然不可能筹集到资金？我怎么可能知道2000年会有221次首次公开募股、到了2001年却只有19次？鉴于上述种种可能，谁能指望我会取得一个不俗的业绩？

在为自己感到难过时，我无意间看到了著名足球教练比尔 · 帕塞尔斯的一个访谈节目。他说，自己刚刚做主教练时，也遇到了类似的困境。在他的第一个赛季里，他的球队——纽约巨人队——有很多球员都相继受伤。他一直担心球员的伤势会影响球队的命运，因为即使那些最佳球员全部上场，都很难赢得比赛，更别说一帮替补队员了。当他的朋友兼导师——突袭者队的老板艾尔 · 戴维斯叫他去检录时，他表达了自己对球员伤病问题的担忧。

帕塞尔斯：艾尔，我真不知道少了这么多最佳球员，我们怎么才能赢得比赛？我该怎么办？

戴维斯：比尔，没人会在意的，只要好好指导球队就行了。

这也许是有史以来外界给CEO的最佳意见。因为，你瞧，没人会在意。公司出了问题，没人会在意——新闻媒体不会在意，投资者们不会在意，董事会不会在意，员工们不会在意，甚至你母亲也不会在意。

没人会在意。

他们不在意是对的。失败之后，再充分的理由都不会给你的投资者留下一美元，也保不住一名员工的工作，或给你带来一位新客户。当你的公司宣布破产时，它也不会让你的心里好受一点儿。

与其将所有的心思用来哀叹自己的痛苦，还不如努力去寻找一种看似不可能的出路，令自己摆脱目前的困境。不要花时间去懊悔过去，要将所有的时间花在自己可以做的事情上，因为说到底，没人会在意，只要好好经营公司就行了。

第五章　依次管理好人、产品和利润

我和最强悍的黑人哥们一起打拼，和最聪明的黑人哥们一起赚钱，

没时间听你们这些该死的黑人艺术家聒噪。

你最好闭嘴，把我惹急了可不是闹着玩儿的。

你们个个都是军中的公子少爷，只有我是黑人中士。

——美国说唱歌手杰西昂·特雷尔·泰勒《朝他们尖叫》

一旦我们把Opsware公司的股票价格推回到1美元以上，接下来，我们就要重组管理团队。我们有云计算服务管理团队，但现在我们是软件公司，需要软件管理团队。在企业型软件公司里，最重要的两个职位往往是销售主管和技术主管。一开始，我试着将Loudcloud公司负责专业服务的主管抽调出来担任销售主管，但效果并不好。于是，我打算另请高明。

为了更好地准备这次招聘，我决定在此期间亲自主管销售。我管理团队，召开销售预测会议，而且还独自负责Opsware的营收数据。历经艰辛后我才懂得，招聘主管时应该像科林·鲍威尔所指出的：重点看应聘者的能力，而不是看其是否毫无缺点。通过管理销售业务，我对公司究竟需要什么样的人才有了非常清晰的认识。我列了一份清单，开始着手为Opsware公司寻找具有适当技能和才干的销售主管。

面试了大概20多个人之后——其中没有一个人具备我所需要的那些能力——马克·克兰尼来到了我的面前。他并不是我期待中的人选，和人们脑海中销售主管干练、强硬的形象也相去甚远。首先，克兰尼身高中等，而大多数销售主管都身材高大。其次，他体型略方，身宽和身高几乎一样，但不是很胖。他这种身材根本穿不了现成的西服，只能穿量身定做的，即便这样，他穿着也显得有些别扭。

我看他的简历，最先引起我注意的是，他毕业于南犹他大学，而我从来没听说过这所大学。我们问他这是所什么样的学校，他回答说："相当于犹他州南部的麻省理工学院。"这是他讲过的唯一一个笑话。克兰尼极其严肃，严肃得似乎连他自己都感觉浑身不自在，弄得我也十分难受。要是往常，这么令人难受的气氛会让我直接放弃这位面试者，但克兰尼所具有的那些能力正是我所需要的，对我们公司也至关重要，因此我愿意忽视他身上的所有缺点。我曾经认为，区分应聘者是否合格的一个面试技巧是，问一系列关于招聘、培训和管理销售代表的问题。这种提问一般是这样进行的：

本：你认为销售代表最重要的素质是什么？

应聘者：聪明、有进取心和竞争意识，知道如何处理复杂的交易，懂得如何管理团队。

本：在面试中，怎样才能测出他们是否具有这些素质呢？

应聘者：呃，我从自己认识的人当中选聘。

本：好吧，那你聘用他们以后，希望他们怎么做呢？

应聘者：我希望他们明白并遵守销售流程，充分了解产品，能准确做出销售预测……

本：请讲一下你以前为此设计的培训项目。

应聘者：呃……

紧接着，他们就会天花乱坠地胡编乱造起来。

克兰尼的简历和面试回答都让人无可挑剔，我接着问他有关销售人员培训的问题。我永远忘不了当时他脸上痛苦的表情，看起来好像要立即起身离开一样。这让我很吃惊，因为他此前的表现堪称完美。后来我才意识到，我让克兰尼讲述如何培训销售代表就像一个外行人让牛顿去解释物理定律一样可笑。怎么开场好呢？

经过了大约 5 分钟的沉默之后，克兰尼从自己包里拿出他以前设计的一份厚厚的培训手册。他说，他不可能在剩下的时间里解释清楚我想了解的销售人员培训方案，但如果我能再安排一次会面，他会详细解释将普通销售人员训练成销售精英的具体细节，这些销售精英熟知产品加工、产品销售的一整套销售流程。他还说，即使这些条件全部具备，一名成功的销售主管还必须能激发出团队的勇气。他的语气很像巴顿将军，我知道我找对了人。

不幸的是，其他人并不了解这一情况。各部门主管（有一个例外）和董事会成员都反对让马克 · 克兰尼出任销售主管。我问比尔 · 坎贝尔的看法，他说："我可不会用卧轨自杀的方式阻止你聘用克兰尼。"显然，他并不赞成。大家反对克兰尼并非因为他能力不足，而是因为他身上缺点太多：毕业于名不见经传的南犹他大学，长得也不像一名销售主管。

然而，和他接触的时间越长，我就越认定他是我们销售主管的不二人选。在和他交谈的最初一小时之内，我学到的有关销售的知识比我 6 个月来亲自主管销售所学到的知识还要多。他甚至打电话给我讲解我们销售团队正在奋力争取的一些交易的细节，而这些交易，我自己的销售代表们似乎毫不知情，就好像他有个销售联邦调查局一样。

我决定表明立场。我告诉整个团队和董事会，我明白他们的担忧，但我还是想聘用克兰尼，接下来，我打算核查一下他的推荐信。

我向克兰尼要推荐信时，他再次令我大吃一惊。他拿出一份清单，上面列出了 75 封推荐信。他说如果需要，他还可以列出更多。我照着清单给每个推荐人打电话，所有推荐人都在一小时内给我做了回复。克兰尼的人际关系网很紧密，这些推荐人没准儿就是他销售联邦调查局的密探。就在我准备聘用克兰尼时，团队中的一名主管打电话说他的一个朋友认识克兰尼，想跟我谈谈克兰尼的问题。

我给他的那个名叫乔的朋友打电话，继而就听到了我职业生涯中最不同寻常的一次推荐：

本：非常感谢您主动联系我们。

乔：不客气。

本：您是怎么认识克兰尼的？

乔：我在以前的雇主那里做销售培训时，克兰尼是那里的一名区域主管。我想告诉你的是，无论如何都不要聘用克兰尼。

本：哦，语气这么肯定，难道他是罪犯吗？

乔：不是，我从未见他干过任何违反道德的事。

本：他在招聘方面能力很差吗？

乔：不，他给公司招进了一些最优秀的销售人员。

本：他能做大交易吗？

乔：当然能，我们以前有好几笔大交易都是他做的。

本：他不是个合格的管理者？

乔：不，他管理团队非常有效。

本：好吧，那我为什么不录用他呢？

乔：他的文化适应性很差。

本：能解释一下吗？

乔：可以。我在参数技术公司（PTC）给新来的销售人员做培训时，曾请克兰尼做演讲嘉宾以鼓舞士气。我们的新人有50名，我已经点燃了他们对销售的激情，他们个个摩拳擦掌，准备在公司大显身手。克兰尼走上讲台，看着这群新面孔，说道："我不管你们多么训练有素，如果你们一个季度完不成50万美元的销售目标，我就一枪打爆你们的头。”

本：非常感谢。

和平时期的世界和你每天必须为生活苦苦挣扎时的世界完全不同。和平时期，人们有时间关注言行是否得体、长远的文化影响以及人们的情感这类问题。而在你为生活苦苦挣扎的时期，最重要的是奋勇杀敌，带领自己的队伍安全抵达目的地。我正处于这种状态中，需要一名作战的将军。我需要马克 · 克兰尼。

招聘的最后一步是我向马克 · 安德森进行汇报。作为公司创建者和董事会主席，马克 · 安德森的意见对董事会影响极大，可惜他对克兰尼的感觉依然不太好。马克 · 安德森非常信任我，无论他本人对应聘者是否喜欢，他都会让我自己决定招聘人选，但是对我来说，他的认可很重要。

我让马克 · 安德森先说，因为尽管他一直是这个办公室里甚至全世界最聪明的人，他自己却非常谦逊，从不相信人们夸他聪明的话，这一点令他很容易被人忽视。他开始列举克兰尼的缺点：长相和声音都不适合当一名销售主管，毕业学校名不见经传，令他感觉不舒服。认真听完之后，我回答说：“你说的每一条，我都同意。但是，克兰尼是一个销售专家，他的销售管理水平远远超过我所认识的每一个人。如果他身上没有你说的这些毛病，他也不会愿意加入我们这样的公司，说不定他会成为IBM的CEO呢！”

马克 · 安德森很快说："明白了。就他了！"

从Loudcloud公司的废墟之中建立一支世界一流的软件团队是我迈出的关键一步。多年以来，我对克兰尼的了解越来越多，我在当年的面试中所学到的一切、在那些推荐信中所了解到的一切最后都得到了证明。克兰尼的文化适应性的确很弱，但他是个天才。我需要他的天赋才华。我不知道团队中的其他成员和克兰尼是否有过相处愉快的经历，但最终，他们一致认为，克兰尼是销售主管的最佳人选。

我之前的上司吉姆 · 巴克斯代尔很喜欢说这样一句话："我们要依次管理好人、产品和利润。"话虽简单，但意义深远。三者之中，管理好人是最难的，管不好人，其他两项就无从谈起。管理好人意味着公司应该提供一个良好的工作环境，但事实上，大多数工作场所远远称不上良好。当组织规模扩大时，重要工作可能被人忽视，最勤奋的工人可能被最出色的政客所遮蔽，各类繁文缛节可能会扼杀创造力，让一切变得毫无乐趣。

当我们大难临头，从互联网泡沫到纳斯达克威胁要将公司除名，拯救我们的就是本章所介绍的各类技巧。如果你的公司为员工提供了一个良好的工作环境，你的公司也许就会长期屹立不倒，找到属于自己的荣耀。

知道我今天为什么来上班吗？好公司与烂公司的区别

在Opsware公司时，我给管理层上过一门培训课，因为我深信培训的作用。我明确告诉每一位管理者，他们要定期和员工进行一对一的会面，我甚至还告诉了他们具体的做法，以免有人找借口推辞。

一天，我高高兴兴地去上班，突然发现一名经理6个多月都没有和其员工进行过一对一的会面。虽然我懂得“没有调查就没有发言权”，但这一发现还是出乎我的意料。我投入了那么多时间思考管理问题、准备各类材料、亲自培训管理人员，可是有人居然对此无动于衷，这怎么可能？唉，CEO的权威也不过如此。如果管理层就是这么执行我的指令的话，我又何必不辞辛苦地工作呢？

我认为，只要我以身作则，就一定能让下属按我的要求行事。可谁知道，他们学的都是我的坏习惯，他们为什么不学我的优点呢？我的团队要垮掉了吗？我回想起多年前和父亲的一次对话，内容是关于当时波士顿凯尔特人队的篮球教练汤姆 · 海因索恩。海因索恩是当时世界上最成功的教练之一，曾获“年度最佳教练”的荣誉称号，并捧回两座NBA冠军奖杯。

然而，他很快就走了下坡路，他的球队现在是联盟中成绩最差的。我问父亲是怎么回事。父亲说：“因为球员们不再听他乱发脾气了。过去，海因索恩冲球员大吼大叫时，他们会有所回应。可现在，他们根本不吃他那一套。”我的团队现在不理我了吗？我曾对他们大吼大叫太多次了吗？

我突然想明白了——虽然我告诉了团队应该做什么，却一直没明确地告诉他们为什么要那么做。显然，仅凭我个人的权威并不足以让他们按我所说的去做。由于我们有大量的任务要完成，管理人员无法面面俱到，因此就给自己设立了一些优先处理的事项。很明显，这位经理认为，和自己的员工见面并没有那么重要，而我也没有向他解释过和自己的员工见面为什么如此重要。

那么，我为什么要求所有管理人员必须接受管理培训呢？为什么要让管理人员和其员工进行一对一的会面呢？多番思考之后，我找到了原因，我打电话给那位经理的顶头上司——史蒂夫，让他马上来见我。

史蒂夫来到我的办公室，我问他：“史蒂夫，知道我今天为什么来上班吗？”

史蒂夫：什么意思，本？

我：我为什么要挣扎着起床？为什么要辛苦来到公司？如

果是为钱，我干吗不明天卖掉公司，卖的钱岂不是比我想的还要多？我并不图名。

史蒂夫：你的确如此。

我：那我为什么要来上班呢？

史蒂夫：我不知道。

我：好吧，听我说。我来上班是因为Opsware公司将会大有前途，这对我个人非常重要。员工们每天在这工作12~16个小时，他们醒着的大部分时间基本都是在这里度过的，我希望他们都能过上好的生活，这对我也非常重要。这就是我来上班的原因。

史蒂夫：明白了。

我：你知道工作环境的好坏之分吗？

史蒂夫：……知道。

我：是什么？

史蒂夫：嗯……

我：我告诉你吧。在工作环境好的公司，员工可以专心工作，相信只要工作出色，公司和他们个人都会受益。在这样的公司里工作才会有真正的快乐。每个人早上一睁开眼睛就知道自己所做的工作高效有用，会使公司和自己都发生改变。这会令他们在工作中既动力十足，又有满足感。

而在工作环境差的公司，人们会把大量时间都用在捍卫公司利益、阻止明争暗斗以及改进不完善的工作流程之上。他们甚至不清楚自己的职责是什么，因此也就不可能知道他们到底有没有完成工作。荒唐的是，即使他们用了令人难以置信的超长时间完成了工作，却完全不知道这对公司或他们自己的职业生涯有什么意义。更不幸的是，当他们终于鼓足勇气告诉管理者自己的境遇有多么糟糕时，那些管理者首先会否认问题的存在，接着为现状进行辩护，然后就将问题搁置一边。

史蒂夫：明白了。

我：你知道你的经理蒂姆在过去6个月里没有和任何员工进行一对一的会面吗？

史蒂夫：不知道。

我：现在你知道了，你有没有意识到，他这样做根本就不可能了解到他自己所领导的部门究竟是好是坏？

史蒂夫：没错。

我：总而言之，你和蒂姆现在令我无法实现我唯一的目标。因此，如果蒂姆在接下来的24小时以内不和他的每一位员工会面的话，我别无选择，只能解雇你们，听清楚了吗？

史蒂夫：听清楚了。

真的有必要这样做吗？

你也许认为，一家公司无论管理多么有方，如果其产品和市场需求不符，该公司肯定会失败。你也许会进一步认为，一家公司尽管管理得极其糟糕，但其产品符合市场需求，那该公司肯定会成功。这两种情况都对。那么，我真的有必要这样言辞激烈地威胁我的一名主管吗？

我认为有必要，原因有三点：

第一，一切顺利之时，成为一家好公司并不难，但遇到困难时，公司的好坏可能就是生与死的差别。

第二，事情并非总是一帆风顺。

第三，成为一家好公司本身就是一个目标。

生与死的差别

一切顺利之时，员工留在公司的原因有很多：

第一，职业道路宽广。随着公司的发展，大量有前景的工作会自然而然地涌现出来。

第二，朋友和家人都会认为，你是有先见之明的天才。因为你在该公司声名大振之前，就选择了在该公司工作。

第三，你的个人履历会因为你曾在处于兴盛期的一流公司工作过而大放异彩。

第四，你的收入会越来越高。

当情况变得糟糕时，上述所有原因又会成为你离开公司的理由。事实上，在那种情况下，令员工留下的唯一原因并不是他需要一份工作——这在当前的大环境下也不适用——而是他喜欢自己的工作。

事情并不总是一帆风顺

在世界历史上，从未有哪家公司的股票价格会一直上涨。在管理混乱的公司里，经济优势一旦消失，员工就会随之流失。在科技公司里，一旦员工流失，就会出现螺旋式循环：公司价值下跌，最优秀的员工流失，公司价值继续下跌，最优秀的员工继续流失。这种恶性循环很难逆转。

成为一家好公司本身就是目标

我第一次见到比尔·坎贝尔时，他是财捷集团的主席、苹果公司的董事会成员，还是行业中许多顶级CEO的导师。这些响当当的头衔固然让我印象深刻，但还是比不上他1992年经营GO Corporation公司时给我留下的深刻印象。该公司本来打算在1992年研发iPhone产品，在以风险资本为支柱的所有公司之中，它所筹集到的资金是有史以来最多的，但在1994年，该公司几乎被免费卖给美国电话电报公司之前，所有资金几乎损失殆尽。

现在听起来，这也许不算什么。实际上，这是一次可怕的失败。但我曾见过该公司的很多员工，包括一些曾叱咤风云的大人物，如迈克·荷马、丹尼·沙德尔、弗兰克·陈以及斯特拉顿·斯科拉沃斯。令人惊讶的是，他们都把在Go Corporation公司工作视作自己生命当中最珍贵的工作经历之一。尽管他们的职业生涯就此止步，没有赚到钱，成为新闻头版报道的失败案例，但他们依然认为在GO Corporation公司的工作经历是最棒的。Go Corporation公司为他们提供了良好的工作环境。

这让我意识到，比尔是位高效出色的CEO。显然，约翰·多尔也这么认为，因为当斯科特·库克为财捷集团寻找一名CEO时，即使比尔在GO Corporation公司时赔掉了约翰的巨额资金，约翰还是推荐了比尔。几年间，凡是和GO Corporation公司的员工接触过的人都知道比尔的理想，那就是创建好公司。

如果你没有其他事可干，那就像比尔一样创建一家好公司吧。

创业公司为何要进行人员培训？

在网景公司工作时，我明白了创业公司为什么要进行人员培训。在麦当劳工作的人都会接受岗位培训，但是从事更复杂工作的人们却不需要培训。这毫无道理。你愿意成为麦当劳里未受培训的人员之一吗？如果一名工程师从来没被告知软件编码的工作原理，你会使用他编写的软件吗？很多公司都认为自己的员工非常聪明，根本不需要培训。真是愚蠢之见。

我第一次当管理者时，对于培训是又爱又恨。从逻辑上说，高科技公司开展培训很有意义，但我在以往工作过的公司所经历的那些培训并没有调动起大家的热情。讲授培训课程的人都是从其他公司请来的，这些人对我们公司的业务并不了解，讲的都是些不相关的东西。后来，我读了安迪 · 格鲁夫的管理学经典之作《格鲁夫给经理人的第一课》(*High Output Management*)[①]。读后，我的事业观发生了改

① 《格鲁夫给经理人的第一课》已由中信出版社于 2011 年出版。——编者注

变。格鲁夫在书中写道："大多数管理者似乎都觉得，培训员工这件事应该让其他人来做，但我却坚信，管理者应该亲自去做这件事。"

我在网景公司担任产品管理主管时，大多数产品经理对业务毫不重视，这令我十分沮丧。在安迪的启发下，我写了一份简短的书面材料，名叫"好的产品经理与坏的产品经理"，用以对团队进行培训，好让他们按我的期望行事。接下来发生的事让我大为震惊，我的团队的工作业绩立即开始提升。我以前认为毫无作为的产品经理变得越来越有效率。不久，我的团队成为公司里业绩最好的团队。有了这次经验，创建Loudcloud公司之后，我对人员培训进行了大量投入，我相信这样的投入会引导我们最终走向成功。所有这一切都源于一个对人员进行培训的简单决定和一份简单的培训材料。因此，我要感谢安迪·格鲁夫，还要告诉你们在自己的公司里进行人员培训的原因、培训内容，以及培训方法。

为什么要进行人员培训？

几乎所有创建科技公司的人都知道，人是最重要的资产。为了建立自己的人才库，运行良好的创业公司对人才招聘和面试非常重视，而对人的投入却往往会止步于此。以下4个主要原因告诉我们，对人的投入不应到此为止：

1. 生产力

我经常看到创业公司仔细地统计经过筛选的面试者人数、参加所有面试环节的人数以及已聘用的人数。所有这些数据都很有趣，但最重要的一项数据却被遗忘了：公司新增了多少高效率的员工？由于无法测量员工朝着真正目标前进的幅度，他们看不到培训的价值所在。如果对生产力进行测量，他们会惊讶地发现，那些在人员招聘、人员雇用，以及人员融入上的投入都将付之东流。即使他们被告知新员工的生产力很低，大多数CEO还是认为自己没时间开展人员培训。安迪 · 格鲁夫经过计算表明，事实刚好相反。

显而易见，培训是管理者可以开展的最有效的活动之一。考虑一下是否有可能为自己所在部门的员工举办 4 场系列培训讲座。如果每场一小时的讲座需要准备三小时，那么 4 次讲座总共需要准备 12 小时。假如培训班共有 10 名学员，第二年，这 10 名学员为公司工作的时间总计会达到 1.2 万个小时。如果你此前所做的培训令这些员工的业绩提升 1%，那么你用于培训的 12 个小时就相当于为公司带来了 200 个小时的工作量。

2. 绩效管理

面试管理者时，人们常常喜欢问这样的问题：“你辞退过人吗？辞退过多少人？辞退人时你是怎么做的？”这些问题都很好，但他们并没有触及问题的本质：辞退人时，你怎么确定这名员工很清楚自己的工作期望？最佳答案是，对员工进行岗位培训时，管理者应该清晰明确地提出工作期望。不对人员进行培训，绩效管理就毫无基础，进而变得松散无序、前后矛盾。

3. 产品质量

在创建公司之初，创办人通常会有一个愿景：建立一流的、优质的产品架构，以解决他们在以往工作中被迫面临的大量棘手问题。随着公司逐步走向成功，他们却发现自己的美好愿景已经难以实现。这是怎么回事呢？公司的成功会拉动快速招聘新工程师的需求，从而忽视对新工程师进行适当的培训。给新工程师分配任务之后，这些工程师就会竭尽全力地想办法完成这些任务。通常情况下，这意味着对架构内现有设备进行复制，这种复制会导致用户体验不一致、各种性能问题，以及整体混乱。而你却认为，培训成本太高。

4. 员工留任

在网景公司工作时，有一段时期，员工流失率非常高，我决定看看公司所有的离职面谈材料，搞清楚人们为什么要离开高科技公司。排除经济因素之后，我发现人们辞职主要有两个原因：

第一，他们讨厌自己的管理者。缺乏指导、职业发展前景不明朗、收到的反馈多为负面的，这些因素通常会令员工感到惊恐不安。

第二，学不到东西：公司没有投入资源，帮助员工学习新的技能。

而一个出色的培训项目可以直接解决这两大问题。

首先应该干什么？

最好从与员工关系最密切的话题开始：胜任自己工作所需要的知识和技能。我将其称为职能培训。职能培训可以很简单，比如培训员工按照你的期望工作；也可以很复杂，比如举办为期数周的技术新人训练营，让新员工充分了解公司不同时期的产品在架构上的细微差别。培训课程应该根据具体工作精心设计。如果想尝试更复杂的培训课程，一定要请团队中最优秀的专家和管理者参与其中。这样做有助于营造一种强健的、积极向上的企业文化，这比开 100 次场外文化建设战略会议效果更好。

公司培训项目中的另一个重要部分是管理培训。为管理团队设定期望时，管理培训是最佳着手点。你希望他们能定期和员工进行一对一的会面吗？你希望他们对绩效进行反馈吗？你希望他们对员工进行培训吗？你希望他们认同团队的目标吗？如果答案是肯定的话，你最好告诉他们。一旦设定好期望，下一期的管理课程就可以确定下来了，这些课程会告诉管理者如何按你的期望行事。

有了合理的管理培训和职能培训，你还要有其他一些培训机会。创建科技公司的一大乐事就是广纳英才，带领各路精英，分享自己最拿手的技能。与谈判、面试和财务等主题相关的培训不仅能加强公司在这些方面的能力，而且还能鼓舞员工的士气。对那些能力达到精英水平的员工而言，讲授培训课还能成为一项荣誉。

实施培训项目

既然已经明白了培训的价值，也知道了培训内容，那么如何让公司按照我们的期望运行呢？首先要承认，任何创业公司都没有时间去做可做可不做的事。因此，培训必须具有强制性。前两种培训（职能培训和管理培训）可以比较容易地按下列方式实施：

第一，通过拒绝新员工的要求实施职能培训。正如安迪·格鲁夫所说，管理者只有两种方法可以提高员工的产出：激励和培训。因此，培训应该是公司对所有管理者的最基本要求。实现这个要求的一个有效方式是禁止员工向管理者提要求，直到他们制定出一个针对新人的培训项目。

第二，通过自己的讲解实施管理培训。管理公司是CEO的职责。即便你没有时间亲自教授所有的管理课程，有关管理期望的课程也应该由你来上，因为这些期望毕竟是你自己的期望。挑选团队中最优秀的管理者去教授其他课程，把参与这些课程变成一种荣誉，同时也变成一种强制性的要求。

讽刺的是，实施培训项目的最大障碍是：有些人认为，这会花费太多时间。要记住，在提升公司生产力方面，其他任何投入都比不上培训。因此，因为太忙而没时间开展培训就相当于因为太饿而吃不下任何东西。此外，开设一些基本的培训课程并不难。

我在网景公司主管服务器产品管理团队时，令我极为沮丧的是，在我接手的团队里，每个人对自己的工作都有着独特并且完全不同的理解。

最后，我突然明白，在这一行业中，从来没有人对产品管理工作下过定义。于是，我试着静下心来做这件事。令我高兴的是，人们至今还在读我下的定义。这令我看到了培训的重要性。

好的产品经理，差的产品经理

好的产品经理极其了解市场、产品、生产线和竞争情况，凭借自己丰富的经验和充分的自信开展管理工作。好的产品经理是产品的CEO。他们勇于承担全部责任，以产品的成功与否来衡量自己。

他们必须确保产品、时间，以及所需要的一切正确无误。好的产品经理对周围形势十分清楚（公司、营收资金、竞争等），为了获得成功，他们主动制订并执行计划（从不推辞）。

差的产品经理总有一大堆借口，如资金不足、项目经理无能、微软研发这项产品的工程师比我们多10倍、我劳累过度了、没人给我指示等。我们的CEO从不会找这些借口，产品经理也不应该拿这些当借口。

为了在适当的时机推出适当的产品，不同部门之间必须通力合作，好的产品经理不会把所有时间都浪费在这些部门之间。他们不会占用产品团队的所有时间，不会以管理项目的方式管理各项职能，不会为项目跑腿打杂。他们不是产品团队的一员，而是团队的管理者。技术团队不会将好的产品经理当成一种营销资源。好的产品经理和技术经理在营销中其实互为伯仲。

好的产品经理对目标有清晰的定义，即“目标是什么”（与“怎么实现目标”相对），并能有效实施这一目标。差的产品经理只要想出“怎么实现目标”，就会扬扬自得、不可一世。好的产品经理会采用书面形式和口头形式与技术人员进行清晰的交流，他们不会随意下达命令，而是在不经意间搜集信息。

好的产品经理会制作附加材料、常见问题解答、业务简报以及白皮书，供销售人员、营销人员和主管参考或使用。差的产品经理会抱怨自己整天都在为销售人员解答问题，忙得不可开交。好的产品经理会预测出产品的严重缺陷，提出真正的解决方案，而差的产品经理整天都在解决问题。

好的产品经理会将一些重要问题以书面形式记录下来（竞争中的良策、艰难的架构选择、艰难的产品决策、攻占或放弃市场）。差的产品经理只以口头形式表达自己的意见，抱怨“当权者”不允许他这样做。一旦失败，他们往往会说自己早就料到会失败。

好的产品经理让团队将重点放在收益和客户身上，而差的产品经理则让团队关注竞争对手的产品有多少新功能。好的产品经理定义的好产品是只要付出巨大努力就能实现的，而差的产品经理定义的好产品要么无法实现，要么就是让技术人员随心所欲地创建产品（即把最困难的问题留给他们去解决）。

在产品规划期，好的产品经理会考虑向市场推出超值产品，在产品进入市场期间，他们会考虑实现市场占有率和收益目标。差的产品经理总是搞不清楚交付价值、竞争性功能匹配、价格以及普遍性之间的差异。好的产品经理会拆解问题，而差的产品经理会把所有的问题合并成一个问题。

好的产品经理将自己想要讲述的故事交给媒体去写，差的产品经理向媒体传达信息时总想面面俱到，保证其在法律意义上的绝对精确。好的产品经理向媒体提问，差的产品经理回答媒体的所有问题。好的产品经理认为媒体和分析机构的人都很聪明，差的产品经理认为记者和分析员都是傻子，根本不懂他们独特技术的细微差别。

好的产品经理偏重清晰明了，差的产品经理对显而易见的事情从不解释。好的产品经理对自己的职责和成功有明确的认识，差的产品经理总想让别人告诉他该做什么。

好的产品经理每周会按时提交自己的工作报告，因为他们遵守纪律。差的产品经理往往会忘记按时提交工作报告，因为他们不重视纪律。

可以从朋友公司挖人吗？

所有优秀的科技公司都需要优秀的员工。为了组建世界一流的招聘机构，最优秀的公司会投入大量时间、资金和人力。为了建立世界上最优秀的团队，你在追求的道路上会行进到什么地步呢？从朋友公司里挖人是公平竞争吗？你和他还能做朋友吗？

首先，我所说的“朋友”指的是：

- 重要的生意伙伴
- 朋友

在我的讨论当中，朋友和重要的生意伙伴大致是一样的。

大多数CEO永远不会从朋友的公司招募人才。通常，CEO在生意当中不会有很多真正的朋友，从朋友公司挖人肯定会失去朋友。然而，几乎所有的CEO都会面临这样的决定：是否要从朋友公司招募一名员工？为什么会出现这种情况？什么时候可以这样做？什么时候这样做会让你失去朋友？

反正他们也在找新工作

开场总是一样。你的朋友凯茜手下有一名非常出色的工程师，名叫米切尔。他正好是你公司里一名顶级工程师的朋友。你的工程师带米切尔来面试，你对此毫不知情。米切尔顺利通过了面试的所有环节，最后一步要由你这位CEO对他进行面试。你立即发现，米切尔目前正在你的好朋友凯茜的公司里工作。于是，你找公司里的其他人进行核实，以确定他们没有把米切尔故意排在第一名，他们向你保证，米切尔正在找工作，如果不来你的公司，也会去别的公司。现在，你该怎么办呢？

这时候，你也许在想，“如果米切尔打算辞职，那么从逻辑上说，凯茜应该希望他来我的公司，而不是去竞争对手公司，或是去一家有一位她不喜欢的CEO的公司。”凯茜也许会这么想，也许不会。

公司经营不顺利时，人们往往会离开，所以你应该假设凯茜正在为其公司的存亡而努力奋战。在这种情况下，没有什么比失去一名优秀的员工更让她伤心的了，因为她知道，其他员工会把这当作公司没落的一个征兆。让凯茜更受打击的是，她的员工会把你的举动看成一种背叛——凯茜所谓的朋友在趁火打劫。他们会想，“凯茜太无能，朋友挖她墙角，她都毫无办法。”这样揣测下去的话，一个逻辑问题很快就变成了一个情感问题。

你不想失去凯茜这个朋友，于是向她保证，米切尔是个例外，是他来找你的，她公司里的员工当中，他是第一个也是最后一个加入你公司的人。通常情况下，这种解释会有效，凯茜会予以理解，对你的姿态表示感谢。她会原谅你，但她绝不会忘记这件事。

她对米切尔的记忆会加深，因为他是你们关系破裂的第一步。由于米切尔是一位极出色的员工，凯茜公司里其他出色的员工很可能会打电话给米切尔，了解他离开公司的原因，接下来去哪里高就。米切尔会解释原因，而这些原因往往很有说服力。于是，忽然之间，他们也想效仿米切尔的做法，加入你的公司。等你意识到这一形势时，追随米切尔而来的新员工们已经被录用了。

在上述这些情况中，你的员工会向你保证，是凯茜的员工主动找上门来的。他们会指出，这些应聘者也收到了其他公司的录用通知，所以他们肯定会离开凯茜的公司，招募他们又有何妨。而凯茜公司的管理者们肯定会另有一套说辞。他们会请求凯茜，让她阻止自己的朋友从公司里挖人，否则他们永远不能兑现承诺。这会令凯茜陷入尴尬境地，激怒凯茜。最后，社会压力会战胜你精彩的对抗性逻辑。

思考这种动态关系有一个简单的方法：如果你丈夫离你而去，你希望自己最好的朋友和他约会吗？他肯定会和其他女人约会，所以，让你的朋友得到他难道不好吗？这看似符合逻辑，但其实并非如此，你肯定会失去朋友。

应该怎么办？

首先，要记住，除非该员工极其出色，否则你无论如何也不要将其留在公司。因此，从朋友公司里招人时一定要招顶尖人才，否则你只是平添了一些平庸植被而已。不要认为你正在招募的人一定十拿九稳。

我总结出一条好的经验法则，即“挖人的反身性原则”。该原则指出：“某公司挖走了你的几名员工，如果你震惊无比、惊恐不安，那你就不应该挖他们公司的任何一名员工。”这样的公司应该很少，有可能根本就没有。

为了避免出现这种棘手的情况，很多公司都制定了这样的政策，将那些规定未经CEO（或高级主管）同意，不得雇用其员工的公司名单列举出来。有了这项政策，在录用朋友的员工之前，你就可以给朋友最后一次机会，让其留住员工，或提出反对意见。

有了这项政策，处理这种情况的最佳方式就是公开透明。看清了雇用出色员工和背叛珍贵友谊之间的矛盾之后，你就应该将事情公开，告诉员工，你和他现在所属的公司有重要的生意往来，在录用他之前，你必须和他所在公司的CEO进行沟通，对他进行背景核查。告诉他，如果他不同意，你会立即中止录用，并对此保密。在录用之前，要和朋友进行交谈，这样才能更好地判断录用他的员工对你们的关系所带来的影响。此外，你还有可能避免用人不当，因为往往有些应聘者在面试中表现极佳，但进入公司之后，表现却不尽如人意。

最后一点想法

在经典电影《黄金三镖客》中，克林特 · 伊斯特伍德饰演的好人和埃里 · 瓦拉赫饰演的反派携手犯罪。瓦拉赫是个臭名昭著的罪犯，警方悬赏要他的人头。两个主人公设计了一个骗局，以获取赏金。伊斯特伍德交出瓦拉赫，得到了赏金，接着瓦拉赫被判绞刑。瓦拉赫骑在马上，双手被绑在背后，脖子上的绳子眼看就要将他勒死。伊斯特伍德在远处射断了绳子，救出了瓦拉赫，他们分掉了赏金。这场骗局一切顺利，直到有一天，伊斯特伍德释放了瓦拉赫，告诉他："我觉得你再也不值 3 000 多美元了。"瓦拉赫问："你什么意思？"伊斯特伍德告诉他："我是说，我们的合作关系解除了。噢，不，你不行，还得把你绑着。这些钱都归我了，绳子归你。"接下来发生的就是动作片历史上最精彩的复仇故事。

因此，当你告诉你的CEO朋友，你认为他再也不如这名员工对你重要时，别指望你们还能继续做朋友。

大公司主管为何难以胜任小公司的工作？

你已经实现了产品和市场的融合，准备开始创建公司。董事会鼓励你引入一些经验丰富的主管，让他们提供有关财务、销售和营销方面的专业意见，帮助你将世界一流的产品转变成世界一流的业务。你会见了几个自己喜欢的应聘者，但董事会成员中的风险投资家却说："他们没有达到要求，我们公司规模发展很快，应该吸引更优秀的人才。"于是，你将目标定高，引入了才气非凡的销售主管。这位主管曾管理过有着几千人的大型部门，有引人注目的推荐信，而且看起来很适合这个职位。你的风险投资家也很喜欢他，因为他的简历非常精彩。

6个月之后……

6个月之后，公司里的每个人都想知道，为什么这位销售（或营销、财务、产品）主管没做出任何贡献，却坐享数额如此巨大的认股权，那些承担了所有工作的人们的认股权反而要少得多。更糟糕的是，公司现在陷入了困境，当你高薪聘请的主管安坐办公室时，大量的员工正在流失。这究竟是怎么回事？

所以，我们要弄清，大公司主管的职责和小公司主管的职责大不一样。卖掉Opsware公司之后，我在惠普管理着几千名员工，每天有不计其数的事情需要我去处理。每个人都想从我这里挤走一点儿时间，小公司想和我合作，或想让我对其进行收购，我自己部门的员工需要我的批准意见，其他部门需要我的帮助，客户需要我的关注等。结果，我的大部分时间都用在优化和调整现有业务上。我所做的大部分工作都是"即将来临的工作"。事实上，大多数经验丰富的大公司主管会告诉你，如果你一个季度做出的方案数超过三个，你的工作就超量了。因此，在处理日常业务时，大公司的主管往往都是中断驱动[①]式的。

相反，如果你是创业公司的一名主管，除非你自己找事，否则便无事可干。在公司创立初期，你每天必须做出8~10个新方案，否则公司就会停滞不前。

① 中断驱动，计算机用语，即当某进程要启动某个I/O设备工作时，便由CPU向相应的设备控制器发出一条I/O命令，然后立即返回，执行原来的任务，设备控制器则按照该命令的要求去控制指令的I/O设备。比喻应答式的工作方式，即只有提出请求，对方才会予以回应。——编者注

会出现什么情况？

雇用一名大公司主管之后，你会面临两种危险的不匹配情况：

第一，节奏不匹配。这样的主管已经习惯于等待邮件到达，等待电话铃声响起，等待会议被安排得井井有条。在你的公司里，他会长时间处于等待状态。如果这位新主管总在等待（根据他自己的受训经验），其他员工就会充满疑虑。你会听到这样一些言论，如“那家伙整天都在干什么？”“他凭什么享有这么多认股权？”

第二，技能不匹配。管理大公司需要的技能和创建新公司大不相同。管理大公司时，你往往对这些任务比较擅长，例如复杂的决策制定、次序优先、机构设计、流程改进，以及部门交流。创建公司时，没有机构需要设计，没有流程需要改进，部门之间的交流非常简单。但同时，你必须能够非常熟练地实施高质量的招聘流程，具备丰富的专业领域知识（你自己负责质量控制），懂得如何从零开始创建流程，而且在把握新方向、制定新任务方面要非常有创造力。

如何防患于未然？

两个关键步骤可以避免灾难的发生：

第一，在面试过程中将具有破坏性的不匹配情况筛选出来。

第二，将新人的融入和面试看得同等重要。

筛选不匹配情况

如果节奏不匹配和技能不匹配情况过于突出而无法克服，你该怎么办？以下是我认为非常有帮助的一些面试题目：

你上班的第一个月会干什么？

要注意那些过分强调学习的回答。这也许表明，该面试者认为，自己需要对公司情况进行大量学习和了解，但事实并非如此。更具体地说，他也许认为，你的公司和他目前所在的公司一样复杂。

要注意这样一种特征：有的应聘者只会根据公司为其分配的任务来设定节奏，而不是自己设定节奏。但永远不会有人为他分配任务。

挑选那些能拿出很多你意想不到的新方案的应聘者。

这份新工作和你目前的工作有什么不同？

挑选那些能意识到工作差异的应聘者。如果他们具有你需要的经验，他们就会对这个问题做出明确的回答。

注意那些认为自己的丰富经验可以立即得到应用的应聘者。从长远来看，这也许可以实现，但眼前却不大可能。

你为什么要加入一个小公司？

注意将获得股权作为首要动机的应聘者。一无所有的百分之一还是一无所有。这个动机让一些大公司主管有时很难理解。

如果他们的回答是想变得更有创造力，这就要好得多。大小公司之间最重要的差别在于，管理者花在管理和创造上的时间各不相同。想加入你公司的正确理由应该是：渴望变得更有创造力。

积极帮助新人融入公司

最关键的一步也许是帮助新人融入公司。你应该安排大量时间帮助新人尽快融入公司。下列事项需要牢记于心：

第一，促使他们积极创造。每月、每周，甚至每天给他们制定目标，确保他们做出相应的贡献。公司其余员工一直从旁观察，这对帮助他们融入公司很关键。

第二，确保他们明白自己的职责所在。无事可做的主管在创业公司中没有价值。他们要清楚地了解产品、技术、客户和市场，要督促新员工学习上述内容。每天安排一次和新主管的会面，要求他们带着各种问题而来，了解他们当天所听到的且没完全搞懂的所有情况。回答这些问题要有深度，要从基本原则开始。告诉他们最新发展情况。如果他们提不出任何问题，就要考虑解雇他们。如果 30 天后，你觉得他们还没有掌握情况，那就要毫不犹豫地解雇他们。

第三，把他们放入集体。确保他们和同事以及公司中的重要人员进行接触和交流。给他们列一份他们要认识并向其学习的人员名单。一旦他们按要求做到了，让他们提交一份报告，汇报自己从这些人身上学到了什么。

最后一点建议

从加速公司发展的角度而言，没有什么比雇用一位在创建类似规模的公司方面富有经验的人更有效果。然而，雇用这样的人有可能充满风险，要密切注意那些预示着成功和失败的重要指标。

招聘主管：在没有招聘经验的情况下，怎样才能招到优秀的人才？

当一名出色的部门经理和当一名出色的总经理（尤其是一名出色的CEO）之间最大的差别是，作为总经理，你必须招聘并管理那些远远比你更胜任他们工作的人。事实上，很多时候，你必须招聘很多人，来做你从未做过的工作，并对他们进行管理。有多少CEO曾担任过人力资源主管、技术主管、销售主管、营销主管、财务主管以及法律主管呢？很可能一个都没有。

那么，在没有任何招聘经验的情况下，怎样才能招到优秀的人才呢？

第一步：知道自己想要什么

第一步是整个招聘过程中最重要的一步，也是常被忽略的一步。正如著名励志大师托尼 · 罗宾斯所说：“如果不知道自己想要什么，你实现愿望的可能性就微乎其微。”如果没有任何经验的话，你又怎么知道自己想要什么呢？

首先，你必须意识到自己非常无知，不要妄想仅靠面试应聘者就能学会如何招聘。虽然面试过程对你可能很有启发意义，但将其当作唯一的知识来源却很危险。这样做会让你很容易落入下面的陷阱：

第一，凭外表和感觉聘人。如果有人根据应聘者在面试中的形象和言语来聘用主管，这会很愚蠢。但是根据我的经验，大多数主管选聘人才的首要标准就是形象和感觉。如果CEO不清楚自己想要什么样的人才，再加上董事会成员对招聘也欠考虑，他们会怎样招聘呢？

第二，挑选与众不同的人才。如果我当年采取了这个观点，那我就永远也招不到马克·克兰尼了，你们现在可能也就看不到我写的这些话了。这一错误观点从寓意上看，就相当于对销售主管怀有柏拉图式的理想。你会想象一个完美的销售主管形象，然后把实际应聘者和你理想中的形象进行对应。这一观点之所以错误有以下几点原因：首先，你不能雇用一名想象中的主管来管理一个充满可能性的公司。你必须为处在这一特殊时刻的公司雇用一位合适人选。甲骨文公司2010年的销售主管在1989年很可能是失败的。就手机服务网站Foursquare而言，苹果公司的技术主管完全属于用人不当。细节最重要。其次，你想象中的主管形象往往都是错误的。你设想的这个形象的基础是什么？最后，让招聘团队理解这么抽象的一套标准极其困难。其结果是，每一个人都想在应聘者身上寻找与众不同的东西。

第三，看重的是应聘者身上没有弱点，而不是其长处。经验越丰富，就越清楚公司里的每个员工都有严重的缺点（包括你自己）。金无足赤，人无完人。因此，招聘时要看重应聘者的长处，而不是其身上没有弱点。每个人都有弱点，只不过有些人身上的弱点比较明显而已。因为其人没有弱点而对其加以聘用意味着你将愉快感作为优先考虑的因素。当然，你必须清楚自己需要应聘者具备什么能力，然后找出具备这种能力的人，忽略他在其他方面的弱点。

想知道自己需要什么样的人才，最好的方法是在该职位上亲自体验一番。不是名义上的，而是真正履行职责。在我的职业生涯中，我曾担任过人力资源主管、首席财务官以及销售主管。CEO往往不愿意干职能性工作，因为他们担心自己缺乏相应的知识。这种担心恰恰是你应该干这类工作的原因——学会相应的知识。的确，亲自体验是获得招聘所需要的所有知识的唯一方式，因为你要为公司寻找合适的主管，而不是普通主管。

除了亲自体验，引进专家也十分有益。如果你认识一位出色的销售主管，先和其进行面谈，了解他获得成功的原因，搞清楚他的哪些能力最符合你公司的需要。如果可能，将该领域专家纳入面试流程。不过，要注意，这些专家并不完全符合招聘条件。也就是说，他对你的公司缺乏了解，不知道公司的运作模式以及公司的需要。因此，不能将决定都推给专家来做。

最后，你心里要清楚自己对加入公司的人有什么期许。这个人在第一个月会做什么？你期望他加入公司的动机是什么呢？你想让他立刻扩大部门规模，还是在下一年只招一两个新人？

第二步：控制招聘流程

为了找到合适的主管，你现在必须将自己已经掌握的知识转化成一个能找到合适人选的招聘程序。下面是我喜欢使用的招聘程序。

写下你想要的能力，以及你愿意忍受的缺点

为了保证完整性，我发现在招聘主管时，下列标准非常有用：

- 这位主管在履行职责方面是顶尖的吗？
- 这位主管的经营能力出色吗？

❖ 这位主管对公司的战略方向会做出重大贡献吗？这就是“他们够聪明”的标准。

❖ 这位主管会成为团队中工作高效的一员吗？在这里，“高效”是关键词。一名主管很可能会受到团队其他成员的喜欢，但工作起来却毫无效率。同时他也可能工作十分高效，影响十分深远，却受到大家的鄙视。相比而言，后者要好得多。

这些职能对不同职位的重要性并不相同，管理者一定要适当地进行平衡。一般情况下，经营能力对技术主管或销售主管的重要性要超过其对营销主管或首席财务官的重要性。

设置检验招聘标准的问答题目（参见附录）

这样做很重要，即便你从来不问应聘者预先准备好的问题。把能检验出自己对人才的要求的问答题目写下来，这样目标就会变得具体

明确，否则将极难实现。组织一支合理的面试小组，开展面试工作。

组成面试小组

面试小组必须牢记两个问题：

1. 谁最能帮你发现应聘者是否符合招聘标准？这个人也许是公司内部人员，也许是公司以外的人员；可能是董事会成员、其他部门主管，也可能只是名专家。

2. 录用主管之后，你需要谁支持你的决定呢？这个新团队和第一个团队同样重要。无论主管多么优秀，如果他周围的人一直在暗中使坏，他将很难取得成功。避免这种问题的最好办法是，在录用此人之前搞清楚所有可能发生的问题。

当然，一些人可能同时属于两个招聘小组，而且两个小组的意见都非常重要：第一个小组会帮你挑选最出色的应聘者，第二个小组会帮你判断每一位应聘者能否很快融入你的公司。通常，最好让第二个小组单独进行最后的面试环节。

接下来，根据面试官的不同才能分配问答题目。具体来说，要确保提问的面试官清楚什么样的回答是好的。

进行面试时，一定要和面试官讨论每一场面试，利用这段时间让大家对招聘标准达成统一理解，这样就能尽可能获得最满意的信息。

秘密调查和公开调查

对于通过面试的应聘者，CEO应亲自对其进行背景调查，这样做至关重要。应聘者提供的推荐信必须依据面试过程中已经检验过的同等招聘标准进行核查。秘密背景调查（找认识应聘者、但应聘者本人并未提及的人进行调查）可极其有效地获得对应聘者客观公正的评价。不过，公开背景调查的作用也不容小觑。尽管应聘者总会提供一份积极正面的推荐材料（否则他们也不会出现在面试名单上），但你要关注的并不是对他们的正面评价或负面评价，而是他们是否符合你的招聘标准。从这方面来说，公开调查作用很大，它会让你清楚地了解应聘者。

第三步：单独做决定

虽然参与招聘的人很多，但最终决定还要由自己做出。只有CEO能全面了解招聘标准、制定招聘标准的基本根据、面试官和应聘者推荐人反馈回来的所有意见，以及各类持股人的相对重要性。关于招聘主管的一致性决定几乎总会令招聘者忽视应聘者的能力，注重应聘者没有弱点这一方面。做决定是一份孤独的任务，但总得有人来做。

为什么实现了业绩目标，却没有达到预期效果？

在Loudcloud公司成立之初，很多人会做一些疯狂的事，然后拿我当挡箭牌，说："这是本说的。"一般情况下，我对此不置一词，但我确实没有说过他们口中的那些话。在此，我与大家分享的管理原则与这样的经历有关。

管理Opsware公司时，我们有一个非线性季度难题，也可戏称为"曲棍球棒难题"。曲棍球棒是指一个季度当中收入曲线的形状。我们的曲棍球棒曲线非常糟糕，有一个季度，我们在季度末的最后一天才拿到新订单的90%。这种销售模式令我们很难对交易进行规划，对上市公司——我们就是上市公司——尤为不利。

于是，自然而然地，我决定改变曲棍球棒曲线走势，冷静应对这一切。我为销售人员设计了一项激励措施，如果他们在季度的前两个月完成交易，就给他们发放两个月的交易奖金。结果，下一个季度的曲棍球棒曲线变得更直了一点，也比预期变得短了一点——交易从上季度的第三个月转移到了本季度的前两个月。

在网景公司管理大型技术团队时，我对一项产品的计划表、质量和功能进行了测量。团队研发出的产品在功能上符合所有的要求，时间上非常准时，几乎没什么漏洞，但遗憾的是，产品本身很平庸，因为其所有的功能都表现一般。

我在惠普公司工作时，所有的交易都用数字规定了极其严格的收入目标和利润目标。一些部门虽然实现了目标数字，却是靠减少研发资金实现的。这种做法会严重削弱他们的长期竞争力，为将来的灾难埋下隐患。

在以上几种情况中，管理者们达到了我们的要求，但没有达到我们想要的效果。这是为什么呢？让我们来看一下。

拉平曲棍球棒曲线：目标错误

回顾过去，我当初真不应该让团队去拉平季度曲线。如果那是我想实现的目标，我就不得不心甘情愿——至少暂时——接受季度收入不断减少的后果。我们有固定数量的销售人员，他们会努力使每个季度的销售规模实现最大化。为了使季度曲线呈线性发展，他们必须改进自己的行为，调整自己的优先事项。不幸的是，我更喜欢过去优先实现收益最大化的做法。

考虑到当时的形势，我实在很幸运。在《孙子兵法》中，孙子警告说，给团队下达一个不可能完成的任务会削弱其实力。我并没有削弱团队的实力，却打乱了团队的工作顺序。正确的做法应该是，预先确定哪些事项更重要，然后实现每一季度销售额最大化或提高预测能力。只有给出第二种回答时，这个指导才有意义。

过于关注数字

在第二个例子中，我利用一组数字对团队进行指导，但并没有完全达到我想实现的目标。我的目标是推出一项依次满足下列指标的出色产品：客户喜欢、质量过硬、发货准时。

可惜，我设立的这些指标并不在产品的优先项当中。从基础水平而言，指标就是激励因素。在每次员工会议上，通过测量并讨论产品质量、功能以及计划表，员工们的注意力大都集中在上述指标之上，忽视了其他目标。这些指标并没有描述出真正的目标，因此，团队的注意力之所以偏离，罪责在我。

有趣的是，在很多消费者互联网创业公司里，我看到，同样的问题频频出现。我经常看到一些团队拼命将注意力放在客户获取和客户保留的指标之上。这样做通常对客户获取很有用，但对客户保留的效果并不好，为什么呢?

对于很多产品而言，指标通常会用足够多的细节去描述客户获取的目标，目的是提供充分的管理指导。相反，客户保留指标并不能提供足够多的细节，使自身成为一项完整的管理工具。结果是，很多新兴公司会过度强调客户保留指标，没有花足够多的时间去深入了解用户的真实体验。这通常会导致一款出色的产品被一堆混乱数字所包围。对出色产品怀有美好期望，建立强有力的指标，两者互为补充十分重要，但如果用指标去代替对产品的期望，你就无法实现自己的目标。

严格按数字进行管理就如同利用数字进行绘画

你想促成的事有些也许可以量化，有些则不可以。你不能只汇报量化目标，而忽视质化目标，因为质化目标才是最重要的目标。仅仅按照数字进行管理就像利用数字进行绘画，从严格意义上说，这完全是业余爱好者的做法。

惠普公司一直都想实现高收益。由于只关心数字，惠普现在虽然实现了高收益，却牺牲了未来的收益。

请注意下列问题中所包含的很多数字以及质性目标：

- 我们的竞争性获胜率是在上升还是在下降？
- 客户满意度是在上升还是在下降？
- 我们自己的工程师对产品的看法是什么？

由于将公司当作黑匣子一样进行管理，惠普公司的很多部门以降低竞争力为代价，使当前利益实现了最大化。公司对实现了短期目标的管理者予以奖励，这种方式对公司极其有害。如果将白盒子考虑在内，效果就会好得多。白盒子不仅包含数字，而且还能告诉你这些数字是怎么来的。这种方式会惩罚那些以牺牲未来利益换取短期利益的管理者，奖励那些给未来投资的管理者，即使这些投资短期内难以测量。

最后一点想法

我们很容易看到，领导者被误解的方式有很多。为了正确做事，你必须认识到，你无意识评估的任何事都会引起员工们一系列的行为。一旦确定了自己想要的结果，就需要检验对这个结果的描述，而检验的依据是，员工对这一描述所做的行为反应。否则，员工行为的副作用也许比你正在补救的情况还要糟糕。

管理债务

沃德·坎宁安是第一个设计维基百科的电脑程序员，多亏了他，“技术债务”这个比喻现在成了一个很好理解的概念。你也许可以通过写快捷代码或不洁代码的方式节省时间，但最终还是要把时间还回去，还有利息。通常这种交换很公平，但如果你没有把这种交换记在脑子里，你就会遇到大麻烦。还有一个不太好理解的平行概念，我称之为“管理债务”。

像技术债务一样，当你牺牲掉代价高昂的长期利益、做出权宜的短期管理决定之时，就会发生管理债务。和技术债务一样，交换有时很有道理，但很多时候又没有道理。更重要的是，如果你引发了管理债务却并不负责，那你最终就会落得管理失败的下场。

与技术债务相似，管理债务形式多样，很难一一详述，但几个典型例子会有助于你理解这个概念。以下是创业公司中比较流行的三种管理债务形式：

1. 一山藏二虎。

2. 因某一员工得到了另一工作机会而对其补偿过度。

3. 缺乏绩效管理机制或员工反馈机制。

一山藏二虎

如果你有两名非常出色的员工，他们理论上都非常适合公司的某一职位，你会怎么做？也许你公司里技术部门的主管是一名世界一流的建筑师，但他却缺乏将公司规模扩大一个等级的经验。你还有一名出色的经营性人才，但其技术水平却不高。你想把这两个人都留在公司，但职位只有一个。于是，你就想出一个好主意，“一山藏二虎”，并因此而背负了一点点管理债务。短期利益很明显：你保留了两名员工，也不必对他们进行培养，因为他们在理论上会互相帮助，共同进步，他们之间的技能差距立刻得到了弥合。但是很不幸，为了这些利益，你必须在短期之内连本带利地偿还债务。

首先，这么做会令所有工程师的工作变得更加困难。如果某位工程师需要上司做决定，他该找哪位上司呢？如果一位上司做了决定，另一位上司有权推翻这项决定吗？如果是一项需要开会讨论的复杂决定，两位上司是否都必须出席会议呢？谁来确定部门发展的方向呢？如果需要召开一系列的会议来确定部门的发展方向，这个方向真的能确定下来吗？

此外，你卸掉了他们所有的责任。如果产品计划有误，谁来负责？如果技术失去了竞争力，谁来负责？如果运营主管对产品计划的失误负责，技术主管为技术质量负责，那么如果是运营主管强迫工程师们制定了产品计划表，从而导致技术质量下滑，那会怎样呢？你怎么知道这件事就是他做的？真正的代价是，随着时间的流逝，情况会更加糟糕。在短期之内，通过多召开几次会议，或以一种清晰的方式进行分工，你也许可以缓和这种负面影响。然而，随着工作越来越多，之前清晰的分工会逐渐变得模糊，部门会逐渐退化。最终，你只能做出艰难的决定，留下一个人，一次性还清债务，否则你的技术部门就会永远陷入泥潭。

因某一员工得到了另一工作机会而对其补偿过度

一名优秀的工程师决定辞职，因为他得到了一个更好的工作机会。出于各种原因，你对其予以补偿，但其他公司开出的工资比你公司里任何一名工程师的工资都高，这名工程师并不是你最出色的工程师。不过，他现在正在进行一个关键项目，你不能失去他。于是，你给他开出了同样的条件，保住了项目，却承担了许多的管理债务。

你或许认为你给他开出的条件是保密的，因为你让他发誓保守秘密。那么，秘密是怎么泄露出去的呢？公司里有他的朋友，当他得到另一家公司向其发出的工作邀请时，他会向自己的朋友咨询建议，他最好的一个朋友建议他接受工作邀请。当他决定留下来时，他必须向这位朋友解释自己为什么没有接受他的建议，否则他就会失去个人信誉。于是，他将实情告诉了这位朋友，让他发誓保守秘密。这位朋友同意保密，却感到气愤，因为他必须用辞职进行威胁，才能使工资获得合理的上涨。而且，这位朋友还因为你对他进行了过度补偿而感到嫉妒。于是，他将情况告诉了自己的几个朋友，并让他们保密。现在，技术部的每一个人都知道，涨工资的最好办法是从其他公司拿到工作邀请，然后以辞职进行威胁。要付清这样一笔管理债务，需要很长一段时间。

缺乏绩效管理机制或员工反馈机制

你的公司现在有25名员工，你知道自己应该规范绩效管理机制，但你不想付出代价。你担心这样做会让人产生一种“大公司”的感觉。而且，你也不想让员工被反馈搞得心烦意乱，因为你现在不能失去他们任何一个人。大家其乐融融，干吗要破坏现在的良好局面呢？背负一点点管理债务有什么关系呢？

当某个人的工作表现没有达到工作要求时，第一笔债务就来临了：

> **CEO：**我们雇用他时，他表现非常好，这是怎么回事呢？
>
> **经理：**他总是不按我们的要求做事。
>
> **CEO：**你们明确告诉过他吗？
>
> **经理：**也许说得不太清楚……

然而，更大的债务就像一笔默不作声的高额税款。当所有人都达成共识，而且不断进步时，公司会运行得很顺利。如果没有反馈，你的公司在任何一个方面都不可能做到最好。如果只下达指令、从不进行修正，这些指令就会显得模糊不清。人们意识不到自己的缺点时，很少会对其加以改正。不对员工的行为做出反馈的最终代价是：公司业绩的系统性一塌糊涂。

小结

我所认识的每一位真正出色的、富有经验的CEO都有一个重要特征：在回答有关部门组织的问题时，他们都倾向于选择艰难复杂的回答。如果面临两种选择：其一，给每个人发同样的奖金，不犯众怒；其二，极力褒奖业绩突出的员工，惹恼其他员工。他们会选择后者。如果面临另外两个选择：其一，撤掉今天一个很受欢迎的项目，因为该项目不在长期计划之内；其二，出于维护人心的目的或为了显得前后一致而保留该项目。他们会选择前者。为什么呢？因为他们曾经为管理债务付出过代价，所以不愿再重蹈覆辙。

有效的人力资源管理

技术行业的所有人似乎一致认为，人才是最重要的，然而就人才机构到底应该是怎样的，似乎并没有达成一致看法。

问题是，一涉及人力资源，大多数CEO确实不知道自己想要什么。在理论上，他们想拥有一个管理完善、企业文化成熟的公司。他们本能地知道，一个人力资源机构也许无法实现这一理想。因此，CEO们通常会对这个问题撒手不管，去做一些即使不是毫无价值却也并非最适宜的事情。

具有讽刺意义的是，管理技术部门最先懂得：一个管理出色的质量控制部门无法生产一款高质量的产品，却能告诉你产品研发团队何时生产了一款质量低劣的产品。类似情况是，一个高质量的人力资源机构无法给你创造一个管理完善、企业文化成熟的公司，却可以告诉你，你和你的管理者何时没有尽到职责。

员工的职业生命周期

了解管理质量的最佳方式是观察员工职业生命周期。从聘用他到他退休，你的公司有多出色？你的管理团队在所有阶段都是世界一流的吗？你是怎么知道的？

一个出色的人力资源机构会支持、衡量并帮助你的管理团队实现提升，他们会帮你回答一些问题：

招聘

- 你非常清楚每一个公开职位所需要的技能和才干是什么吗？
- 你的面试官准备得充分吗？
- 你的管理者和员工有没有向求职者积极介绍公司的情况？
- 面试官们能按时到场吗？
- 管理者和招聘人员会及时联系应聘者吗？
- 你能和最强的公司展开强有力的人才竞争吗？

报酬

- 就你公司的统计数据而言，你享受的福利合理吗？
- 和与你展开人才竞争的公司相比，你的薪水和股票期权福利如何？
- 相对于你的薪酬制度，你的绩效排名如何？

培训与融合

- 聘用员工之后，从该员工及其同事，以及管理者角度而言，他需要多长时间才能体现出生产力？

- 加入公司之后，员工需要多长时间才能清楚公司对他的期望？

绩效管理

- 你的管理者会给予自己的员工前后一致、清晰明确的反馈吗？
- 你公司的书面绩效评价报告质量如何？
- 你公司所有的员工都能按时收到自己的绩效评价吗？
- 你能有效地管理工作表现不佳的员工吗？

工作动机

- 你的员工来上班时激动兴奋吗？
- 你的员工对公司使命怀有坚定的信念吗？
- 他们每天喜欢上班吗？
- 有没有员工消极怠工？
- 你的员工清楚公司对他们的期望吗？
- 员工们是安心留在公司还是辞职人数比往常更多？
- 员工们为什么辞职？

有效管理人力资源的几项要求

应该找哪种类型的人才来帮助自己全面、持续地了解自己管理团队的质量呢？下面是对这类人才的几项基本要求：

- **世界一流的流程设计师**。人力资源主管颇有点儿像质量监察部门的主管，他必须精通流程设计。准确衡量重要管理流程的一个关键是，看其是否具备出色的流程设计和严格的流程管理。
- **真正的外交官**。没有人喜欢打小报告的人。如果管理团队对其缺乏完全信任，人力资源部门不可能有效地开展工作。管理者必须相信，设立人力资源部的目的是帮助自己改进工作，而不是对自己进行监管。优秀的人力资源主管会真心实意地为管理者提供帮助，不会因为发现了问题而大肆表功。他们会直接找管理者解决问题，提高管理质量。如无必要，他们一般不会将问题上报给CEO。如果人力资源主管将自己的知识深藏不露，玩弄权术，或搞阴谋诡计，那他就毫无用处。
- **行业知识专家**。薪酬、福利、最佳招募方法等变化极快，人力资源主管在行业之中必须建有深厚的关系网，对所有最新情况了如指掌。
- **CEO信任的智慧顾问**。如果人力资源主管想将管理者的管理水平维持在一个高水平，CEO对此不给予充分支持的话，其他任何技能都将变得不重要，因此，CEO必须相信人力资源主管的思考和判断。
- **感觉灵敏的人**。当公司管理质量开始下滑，所有人对此毫无觉察，但感觉极其敏锐的人却能察觉出公司正在走下坡路。你需要这样一个人。

第六章 关注眼前的麻烦

这他妈的不是咱黑人的做派，如果你是真正的黑人，那就和我对着干。

——美国说唱歌手特立尼达·詹姆斯《所有美好的一切》

在Opsware举办的一次公司例会上，有人提出一个困扰他很久的问题。“公司里的脏话太多，这让大家很不舒服。”其他人立马帮腔道：“没错，这让我们的工作环境很不专业，该治理一下了。”虽然他们语焉不详，但我知道他们主要是针对我，因为我就是公司里的脏话大王，没准儿还是这个行当里的脏话大王。那段日子里，我忙得焦头烂额，说不了两句话就会往外蹦脏字。

有时我是故意的。给员工交代工作的时间就那么多，所以我必须在有限的交流时间内让自己的指令准确无误地传达出去。没有什么比隔三岔五甩几个脏字更管用的了。如果我对他们说“这不是重点”，其威慑力绝对没有“这他妈的根本就不是重点”强烈。一旦我开了这个头，其他人就会依样效仿。要是你希望自己的观点像阵风一样传遍公司，那么，冒几个脏字绝对奏效。（但是，如果你不希望自己的员工说起话来像一群二流子，那你就得检点自己的行为了。）很多时候，我都是情绪激动而在不经意间说了脏话。这不是一家好管理的公司，而我也因此患上了CEO综合征，症状就是情绪失控说脏话。

既然大家已经把这个问题拿到桌面上来说，那我就得认真对待了。那天晚上，我苦思冥想，得出了以下几个结论：

- 在科技行业，有些人不介意脏话，而有些人却介意。
- 如果明令禁止说脏话，那么习惯说脏话的人可能会觉得我们古板教条，进而辞职。
- 如果允许说脏话，有些人会辞职。
- 我有私心，难以公允决断，因为我本人就是最大的违规者。

一番深思熟虑之后，我意识到那些目前最优秀的科技公司，比如微软和英特尔，根本不把这种禁忌当回事。如果我们禁止说脏话，那无疑会让自己在这个行当里显得格格不入。当然，也不能因此纵容说脏话。要想招募到最出色的工程师，我们只能在那些对脏话最无所谓的高科技领域中寻找。摆在我们面前的路有两条，要么以顶尖人才为重，要么以一尘不染的企业文化为重。该怎么办？答案很简单。

我决定保持现状，但是我需要做一个声明。大家对此现象心怀不满并且当着我的面提了出来，那我就该给他们一个说法。这是个技术活，脏话可派不上用场。我绝对不想让脏话成为恐吓或者骚扰员工的武器，所以我得为脏话的用途做一个清晰的界定。在什么样的情境中才可以正当地说脏话？这让我煞费苦心。

当晚，我碰巧看了一部20世纪70年代的影片，名叫《恋童癖》，该片描写了一个猥亵儿童的罪犯被判入狱后的一段曲折经历。监狱里的人们奉行的道德准则是：猥亵儿童者必须死。片中有个年轻人，他被其他狱友戏称为“纸杯蛋糕”。

没想到，这部电影为我提供了灵感，让我找到了对策。

第二天，我在公司大会上发表了这样一段讲话：

> 我已经注意到，你们当中有很多人反感我们说脏话。作为头号违纪者，我已经开始反思我的个人行为乃至整个公司出现的这种现象。我发现只有两个选择：第一，禁止说脏话；第二，接纳脏话。折中做法很难行得通。我不可能给别人强加一个脏话的“最低控制线”。我曾经说过，要想让公司在竞争中立于不败之地，就必须引进全世界最优秀的人才。在科技领域，说话带脏字几乎是所有公司员工的通病。因此，禁止说脏话只会拒那些优秀人才于千里之外。所以说，我们允许它的存在，但这并不意味着你可以用污言秽语恐吓或者骚扰其他人，用脏话来干坏事。从这个角度来说，脏话和其他言语的意义是相同的。例如，“纸杯蛋糕”这个词，如果我对香农说：“你做的纸杯蛋糕味道不错”，那肯定

没问题。但如果我对安东尼说："嗨，纸杯蛋糕，你穿牛仔的样子棒极了"，那就不得当了。

自那天以后，我再也没听到有谁抱怨别人说脏话，也没有人因此而离职。有时候，企业领导者只需言简意赅地表明态度，不一定非得提出具体的解决办法。一旦我明确表明脏话可以说——只要不是用于恐吓或骚扰——那就没人会再找麻烦，至少据我所知不会再有。推行这个条令的最终结果令人满意：舒适的工作环境，较低的人员流失率，消失的怨言。有时，CEO能执行的规定就是好规定。

一个公司在发展过程中会经历很多变化。如果你当初在建立企业文化和塑造企业精神方面煞费苦心，那么无论你是否想放慢发展的脚步，你都得记住，现在这个有着1 000名员工的大公司早已不是当年那个你带着10个人打天下的小作坊了。但这并不意味着人员增加到1 000、10 000，甚至10万时，你就玩不转了。关键在于与时代同步。管理好一家拥有一定规模的企业意味着你得承认它今非昔比，接受那些无法回避的变化，这样才能保证不把事情搞砸。本章将要为你介绍的，就是那些你不得不做出的改变。

如何最大限度地减少办公室政治?

在商界多年，我从未听说有人对办公室政治心怀好感，大多数人对此都是满腹怨气，就连那些公司老板们也不例外。既然大家都反感办公室政治，为什么它还是如影随形呢?

几乎所有的办公室政治都是由公司老板开的头。你可能会觉得委屈:“我讨厌政治，不爱耍手腕，但我的员工们却恰恰相反。这绝不是我的原因。”你错了。公司内部的办公室政治并不在于你本人是否爱耍政治手段。事实上，那些最缺乏政治头脑的老板往往会带出一支最善于钩心斗角的队伍。这些对政治不感兴趣的老板们常常在不经意间助长了公司内部激烈的政治斗争。

我所说的政治，是指员工在职场进阶的过程中，依靠手段，而非业绩和贡献为自己谋取空间。我们生活中的政治形态有很多种，但这种形式的政治确实让人头疼。

办公室政治是如何产生的？

公司CEO无意间对政治行为的鼓励抑或放任，往往办公室政治发端的源头。就拿给管理人员定薪酬为例。如果那些资深员工不时地找你加薪，示意你他们的所得远远低于应得，甚至暗示你他们手头还有别家公司伸出的颇具诱惑力的橄榄枝，你会怎么办？如果对方的要求合情合理，你也许会酌情考虑，然后给他加薪。这种做法听起来无可厚非，但其实你已经就此为办公室政治的蔓延埋下了祸根。

具体来说，你所奖励的并不是推动公司发展的行为。员工获得加薪是因为他提出了加薪的要求，并非因为他真的工作出色。这会产生什么样的危害？让我们来梳理一下：

1. 公司里其他跃跃欲试的员工很快就会依样效仿。没有不透风的墙。无论是这一轮竞争者还是那个先吃螃蟹的人，加薪与否都将与工作表现无关。你花时间考虑的，不是对方的工作业绩，而是政治问题。如果你对员工的驾驭能力较强，那就无须满足所有人计划外的加薪要求。最终，这些资深员工的加薪标准将演变为：先到先得。

2. 仅仅因为对政治手腕不敏感，公司里那些默默无闻的员工将无缘这份计划外加薪。

3. 你的员工从此次事件中总结出：会哭的孩子有奶吃，会耍手腕的员工有钱赚。准备好听他们的集体号哭吧。

下面，我们举个复杂点儿的例子。你的财务总监对你说他想当经理，最终目标是常务总经理，希望你指点一二。为了鼓励他的积极性，你可能会赞赏他的梦想，表达对他的信心，并建议他努力拓展自己的知识面。此外，你还告诉他，只有强有力的领导方式才能让手下人心服口服。一周后，另一个中层管理人员惊慌失措地找到你，说财务总监已经问过他是否有意为他工作了，并听说你已经有意提拔他当常务总经理。意外吗？好戏才刚刚开始。

如何将办公室政治的发生率降到最低？

将办公室政治的发生率降至最低可不是件容易的事。思想开明或者乐于鼓励下属的优秀领导并不一定能在这件事上发挥积极的作用。

管理资深员工和新员工是两码事，其间的差异就好比你在拳击场上打比赛，前者是职业拳击手，后者则是个外行。如果你只是和外行对打，你可以想怎么打就怎么打，对方不会把你怎么样。假如对方是职业拳击手，那你就要费点儿心思了。多年的专业训练足以使他们捕捉到对手在技术上细微的漏洞，使你在瞬间失去平衡，对手需要的恰恰就是这转瞬即逝的战机。

同样，如果你面对的是职场新手，当他们咨询你有关职业发展的问题时，你可以实事求是地表明态度，然后轻松脱身。但是，如果对方是一个野心勃勃的职场老将，那结果就不容乐观了。所以，要想不被办公室政治弄得手忙脚乱，你就有必要修正自己的策略。

应对策略

我在担任CEO的过程中，总结出了两条关键策略，它们在预防办公室政治方面发挥了极大的作用。

1. 选拔员工时要衡量对方的野心有多大。前文涉及的人都有野心，但不一定每个人都是天生的权谋家。如果你想把自己的公司变成美国参议院的缩影，最保险的途径就是去选拔那些野心勃勃的人。安迪·格鲁夫认为，那种以公司的发展为依托，实现个人发展的野心才是恰如其分的，个人的成就仅仅是以公司成就为前提而形成的伴生物。相反，只关注个人成功而将公司利益置之不顾的人拥有的只是不当的野心。

2. 建立严格的流程来防范潜在的办公室政治，并认真执行。易招致是非的领域包括：

- 业绩评估和业绩奖励
- 机构设置和职权划分
- 员工提拔

我们来逐一分析这几个领域，看看如何建立并实施一套行之有效的规范，来杜绝公司员工因争权夺利而引发的不良现象。

业绩评估与业绩奖励。在这个问题上，很多公司的老板往往都不能及时落实。他们并非不进行绩效管理和薪酬核定，只是常常临时起意，结果给日后公司内的权谋之战留下可乘之机。通过开展严谨规范的绩效管理和薪酬核定，可以确保在员工收入和公司赢利之间达到尽可能高的一致性。这一点尤其适用于管理人员的薪酬核定，因为这同样有利于减少办公室政治。在前文提到的事例中，如果公司的CEO实行了严格的绩效管理和薪酬核定，那他就可以拒绝对方的加薪请求，告诉他必须得按照统一的标准来执行。最好是由董事会集体讨论管理人员薪金的发放，以确保管理的有效性，杜绝例外情况的发生。

机构设置和职权划分。假如你的手下都是些野心勃勃的家伙，他们就会不时地想扩展自己的势力范围。比如，前面提到的觊觎常务总经理位子的财务总监。有时，市场部的总监想涉足销售部的业务，或者技术部的负责人还想兼管一下产品部，这样的情况不一而足。如果有下属向你提出了类似的要求，切记要措辞严谨，因为你说的每一个字都可能成为权力角逐中的砝码。一般情况下，最好不加评说。最多就是问问“为什么”，但千万别对对方提出的理由做出任何反馈。一旦你流露出了自己的观点，那就会一传十，十传百，流言满天飞，各种不利于公司发展的言论都将随之而来。而你，就是那个始作俑者。你需要做的，是定期考量公司的机构设置，搜集所需的信息，在下属还没发现任何预兆时就做出决策。决策既出，立即执行，不给小道消息和流言蜚语留一丁点儿机会。

员工提拔。在提拔某个员工时，他的同事们必会揣摩他受重用的原因，究竟是业绩骄人呢，还是手腕高明？如果答案是后者，那他们的反应不外乎以下三种：

1）恼怒，觉得自己不受重视。

2）明目张胆地和被提拔者对着干，暗中使坏。

3）效仿对方的手腕，实现自己的目的。

很明显，你不希望这样的情况发生在你的公司。因此，你务必要创建一套正式、公开且合理的提拔体制。这套体制在衡量你身边的管理人员时应有所区别。（普通员工的升迁由其所在部门的主管推荐，而部门主管的职务变动则要由董事会决定。）这样做有双重目的。其一，公司将升职与业绩挂钩，这至少会让员工们干劲儿十足；其二，这样的选拔过程可以为你手下的管理团队提供必要的信息，好让他们了解你的决策意图。

当心道听途说。当你的公司规模日渐壮大，你手下主管相互间的怨气就会逐渐升级。有时，这种怨气火药味儿十足。所以，你要特别注意你倾听抱怨时的方式，并对潜伏在抱怨背后的信息细加甄别。如果你只听不表态，不为被投诉者说几句公道话，那别人就会以为这是无声的支持。如果别人以为你认同他的观点，即某个主管能力欠佳，那么风声就会传遍全公司。最后，没人再听这个被投诉者的号令，他的管理很快就会陷入僵局。

你通常会听到两种典型的投诉内容：

1）投诉某主管的所作所为；

2）投诉某主管的个人能力和工作表现。

通常情况下，解决第一种投诉的最佳方法就是把投诉人和被投诉人请到一起，让他们互相挑毛病。一般说来，只要你能让他们双方坐下来谈，就能够化解矛盾，调整各自的行为方式，使他们的相互关系得以改善（如果两人的关系的确已经很糟糕）。不要在其中任意一人缺席的情况下试图解决这类矛盾，因为这样做只会助长主管们相互间的倾轧和猜忌。

与之相比，第二种类型的投诉不太常见，却更为复杂。如果你的某个主管胆敢在你面前指责别人的能力，那极有可能说明他或对方存在着很严重的问题。对于这样的投诉，你的反应不外乎两种：第一，意料之中，这件事你已经有所耳闻；第二，大吃一惊，对方公布了爆炸性的消息。

如果是前者，那你就该担心了。看来事态的发展早已超出了你的预期。无论你出于什么原因一再庇护这个刚愎自用的主管，现在看来，公司上下已经对他忍无可忍了。所以你必须快刀斩乱麻，也就是说，解雇他。多年的管理经验告诉我，主管可以通过努力提高他的业务能力和工作表现，可一旦失去人心，那就回天乏力了。

相反，如果投诉者提供的情况你闻所未闻，那就应该立即停止谈话，明确向他表示你不认同他的看法。你不能在重新评估某人的工作表现之前就轻易否定他，也不该让这样的投诉演变为满足一己私欲的揣测。结束谈话后，你务必对被投诉者的工作即刻进行考量。如果对方表现出众，那你就得弄清楚投诉者的动机并加以解决，绝不要让事态向纵深发展。如果对方表现确实不尽如人意，你可以再回过头找投诉者了解更多内情，如果情况确实很糟糕，你可以将被投诉者辞退。

作为公司的一把手，你必须考虑到自己的一言一行在全公司可能引发的后续效应。尽管开明机警的行动派领导形象确实能让你自我感觉良好，但切忌因此而助长公司里的某些不良风气。

适度的野心

在组建管理团队时，大多数新创业的公司都倾向于把“智商”作为选拔人才的主要标准。然而，一支智商出众但野心过盛的团队却不会对公司发展做出积极的贡献。前文中已说过，招聘人员时，一定要留意对方的野心指数是否合宜。在过去几年里，人们对我的这一观点各执一词。

从宏观的角度来看，只有当资深主管们把集体成就放在个人成就之上，从全局角度而非个人角度来考虑问题时，这个公司才有可能实现利益最大化。没有哪个老板制定的员工奖励机制是无懈可击的，而且，诸如升职和职权归属之类的激励措施也不属于奖金发放和其他久经检验的管理工具的范畴。在以公平、公正为基础的奖赏体系中，公司利益的最大化就意味着个人利益的最大化。就像我在Opsware的销售主管马克 · 克兰尼所说的：零的1%还是零。

主管的野心指数应保持在适当的范围内，这一点相当重要，因为这是维系员工工作积极性的一个重要前提。如果一个主管对于个人前程的关注超过了对公司业绩的关心，那他手下的员工一定会想：我干吗要加班加点地为这家伙卖命？最能激发员工积极性的做法莫过于让他们怀揣使命感去工作，让他们相信这份崇高的使命值得他们把个人抱负暂放一边。所以说，能将理想抱负控制在合理范围内的主管比那些野心勃勃的家伙更有价值。为方便大家详细了解野心过大的危害，我强烈建议大家读一读苏斯博士所著的管理学经典——《乌龟大王亚特尔》。

鉴别适度的野心

与识别其他复杂的个性特质一样，我们很难在面试中鉴定一个人的野心指数高低。尽管如此，我们还是希望以下经验能对大家有所帮助。

一般来说，每个人都有自己独一无二的看问题的视角。在面试候选者时，你可以留意他们在这方面的一些微小差别，看看他们在考虑问题时究竟是以“我”为出发点，还是以“团队”为出发点。

以“我”为出发点的人往往会这样描述刚刚离职的上一家公司：“在我的上一家公司，我玩儿的是电子商务。我觉得那份工作丰富了我的阅历。”请注意，用“我的”来指涉公司恐怕会让公司的其他成员直呼“不”，甚至还会惹恼他们。而且，野心适度的人不会用“玩儿”这个字眼来描述他与团队其他成员共同取得的成绩。另外，以“我”为出发点的人会觉得用“丰富了我的阅历”这样的字眼再自然不过，而以“团队”为出发点的人则会觉得这样的表述很不地道，因为这无疑传递出一个信息：这个人心里只有个人目标，缺乏团队意识。

相反，以“团队”为出发点来考虑问题的人说话时很少使用“我”，哪怕是在谈论其个人成就。在面试中，他们总会把功劳推到从前的合作伙伴身上。相对于工作待遇和职业发展，他们更关心这家公司的实力。如被问及为何离开上一家公司，他们往往会把责任归咎于自身，检讨自己判断力不佳而做出的错误决策。

我在招聘Opsware全球销售主管一职时，就是使用以上方法鉴别出了最佳人选。由于这个岗位涉及销售，所以候选人是否有全局意识、是否能将公司利益置于个人利益之上就成为我考量他们的一条重要标准。其原因有很多：

• 销售工作的奖励力度大，如果没有得力的领导者，各方关系将很难得到平衡。
• 销售部门是一个企业面向外界的窗口，如果这支队伍以个人利益为中心，公司将后患无穷。
• 在高科技企业，销售部是弄虚作假的源头，因为销售主管极易为了实现局部业绩最优化而说出不实之词。

整个面试过程中，我们接待了许多自以为是的应聘者。他们介绍了自己拿下大单业务、实现宏伟目标、为公司创造辉煌业绩的光荣历史。无一例外的是，这些人夸耀自己的丰功伟绩时滔滔不绝，但在细数这些业绩背后的细枝末节时却吞吞吐吐。在之后的资格审查中，我们从当年与他共事过的人那里听到的是全然不同的版本。

而当马克 · 克兰尼坐在我面前时，我却很难听到他谈论自己的光荣历史。说实话，其他面试官觉得克兰尼有些自高自大，在回答某些问题时的那种生硬态度甚至还让他们相当恼火。其中有一人不满地说："本，听咱们在耐克公司的联络员说，是这家伙让耐克公司的产品销量从100万增加到500万，可他本人却只字不提。"的确，在面试中，他只愿意回顾过去公司的业绩，不厌其烦地描述他所在的团队如何在竞争中找出自己的软肋，以及他如何与另一位主管联手来推广产品。此外，他还聊起自己如何与耐克公司的CEO协同改进销售人员的培训和管理方式。

此前，克兰尼已经从我们头号竞争对手的销售代表那里了解到了他们的业务范围。所以，当我们的谈话内容转向Opsware时，克兰尼不留情面地质问我如何与对方竞争，如何进军我们未曾涉足的领域。他希望了解团队中每个成员的优势和弱点，也想知道我们的下一步发展规划是什么。直至谈话接近尾声，我们才说起了薪酬和职位等具体事宜，他期望能按劳取酬，而不是靠玩弄权术获得利益。很显然，克兰尼关注的是团队这个整体。

克兰尼在Opsware担任销售主管期间，公司产品的销量增加了10多倍，市场资本额增加了20倍。更重要的是，销售部门的顾客主动流失率相当低，因为他们一直都能得到最公平、最诚信的服务。我们的法律事务部和财务部的人常说，克兰尼就像公司的坚实铠甲，保护着大家一路向前。

小结

个别员工私心重也许没什么太大危害，但如果你把公司的重要部门交给那些野心家来打理，公司就会危机重重。

头衔与升迁

在与新公司打交道时，我发现对方员工往往都是些无冕之王。这也合情合理，毕竟他们都是初来乍到打江山的，没必要而且也不可能给每个人划分明确的岗位职责，因为他们什么都做一点。这个阶段不存在政治斗争，也没有人觊觎皇权王位。这种状态实在很美好。那么，为什么所有的公司最终都会给不同的人分封不同的头衔？怎样分配这些头衔才算正确？

头衔为什么重要？

促使公司分封不同头衔的两个重要原因是：

1. 满足员工的需要。你打算把毕生心血投入自己的公司，但有些员工可能还会另谋高就。假如你的销售主管去别处求职，他肯定不想说，自己尽管带领着一支遍及全球数百人的销售团队，却依然是个“伙计”。

2. 达到识别身份的目的。人们需要知道“谁”是“谁”。随着公司规模的壮大，员工们不一定能认得每一位同事。更重要的是，他们不知道别人的分工情况，不清楚该与谁合作才能完成任务。职务头衔就好比速记符号，可以准确地描述公司里每个人的角色定位。此外，客户与商业合作伙伴也能通过这些符号来决定如何以最佳的方式与你的公司合作。

而且，职务头衔也是一个标杆，可以使员工就自己的价值和报酬与其他同事展开比较。假如一位初级工程师认为其编程能力远在高级工程师之上，那就说明给他安排的岗位与支付的薪水都偏低。鉴于头衔可被用于估算相对价值，因此在分配头衔时要慎之又慎。

危险：“彼得定律”与“坏榜样法则”

概念不难理解，那为什么还有那么多家公司最终会在人事任用上出问题？如果你在企业工作过，没准儿也曾经对某个青云直上的家伙满心不服：“他凭什么做到这个职位，要是我，连个饮料摊都不放心交给他。”

这都是“彼得定律”在施威。劳伦斯 · J · 彼得博士和雷蒙德 · 赫尔在1969年出版的同名书籍中首次使用了这个术语，意即在一个集团中，员工只要表现出众，就能获得提拔，直至被提拔到一个他不能胜任的岗位（即他们的不称职级别），自此无法再获得提升。安迪 · 格鲁夫在其管理学经典《格鲁夫给经理人的第一课》中指出，

“彼得定律”不可规避，因为我们无从预知某个人的能力会在权利阶梯的哪一层止步。

另一个原因是，“坏榜样法则”。依据该法则，一个团队内部无论哪个层面出现了滥竽充数的人，他们都会像蛀虫一样影响其他成员，最终使得能力出众的人也渐趋平庸。

这条法则的原理就是：员工会拿他们上级中能力最差的那个人做参照物。举个例子，如果贾斯珀是几个副总裁中最平庸的一个，那么所有的部门主管都会以他为标准，提出升职的要求。

和应对“彼得定律”一样，你的最佳对策就是减轻“坏榜样法则”的影响，这对于保证公司员工的整体素质至关重要。

升职标准

制定科学严谨的升职标准是降低“彼得定律”与“坏榜样法则”不良影响的最佳手段。在这个问题上，我们可以借鉴一下柔道运动选拔高手时的竞赛标准。一名柔道选手要想升入高级别段位，必须要击败这个级别上的某一个选手（例如从褐带段级上升到黑带段级）。这可以确保新晋的黑带选手至少不比现任黑带选手中实力最差的那个人弱。

让人苦恼的是，公司可不是竞技场，没法进行一对一的单挑。那么，怎样才能保证人才选拔的准确性呢？

第一，对各级别岗位的职责范围和能力标准做出简明扼要的界定。避免使用空泛的字眼，比如“必须胜任管理工作”或者“必须有出众的管理才能”等。实际上，最好的评价标准往往相当具体，甚至是有一说一，例如“招聘专员需具备明星气质，要不亚于珍妮·罗杰思。”

第二，制定所有岗位的正式升职标准。其核心准则就是，要通过跨部门考核来决定是否提拔某个员工。如果你任由某个部门经理单方面发出提拔指令，那很有可能造成人力资源部有5个副经理而技术部只有一个副经理的混乱局面。组建评审委员会可以有效地在各部门之间达成平衡。委员会定期审核公司内部所有重要岗位的人事安排。经理想要提拔某个下属时，必须要在评审会上提出来，并说明其推荐理由。评审委员会评定该人员是否达到岗位标准，并将他与其他同级员工做比较，最终决定是否提拔。除保障公平和品质外，这个过程还能让你的管理团队更好地了解被评议人在工作上的表现。

安德森VS. 扎克伯格：头衔多大才合适?

公司里除你之外最大的领导者是谁？是副总裁，还是各位董事？是首席营销主管、首席财务主管、首席人事主管，还是首席小吃主管？关于这个问题，马克·安德森和马克·扎克伯格提出了两种不同的观点。

安德森认为，员工为公司效力总是希望获得相应的回报，譬如薪水、奖金、股份、权利以及头衔等。这其中，头衔的成本最低，因此可以尽可能定高些，CEO之下是首席主管，然后是高级副总裁。只要他们喜欢，那就给他们相应的职位。另外，在与其他公司比拼实力争取新人时，头衔可以让你更具吸引力。

相反，扎克伯格在管理Facebook公司时，有意识地让各职务级别低于行业内的一般标准。其他公司的高级副总裁在这里只能被降格称作主任或者经理。这是为什么呢？第一，在每个新人入职时，扎克伯格都要给他们重新定头衔，以避免他们的头衔和职位高过那些表现优异的老员工。这样做有助于鼓舞士气，维系公正。第二，这可以使Facebook的各位经理了解并认可这套职务评定体系，为他们本人的升职和加薪发挥更好的作用。

此外，扎克伯格还希望通过降低头衔来传递一些信息，让大家知道哪些人对公司做出了重大贡献。对于一个高速发展的公司而言，清晰的机构划分极为重要。如果公司里有50个副总裁和10个首席官，那么，公司的发展将无从谈起。

他还指出，管理人员的头衔往往比同级别技术人员的头衔更唬人。尽管这样的头衔有利于管理人员开展对外业务，但他依然希望公司的核心竞争力来自产品研发部门。因此，这也是他降低管理人员头衔标准的重要因素。

那么，在引进人才这一环节，Facebook是否因此而错失良机呢？当然。但他们认为，出于这个原因而放弃Facebook的人也不是他们真正需要的人才。实际上，无论是招聘过程还是管理过程，Facebook都制定了详细的条例来保障人员的自主选择权，觉得合适就加入，觉得不合适就放弃。

究竟哪一种做法更有道理呢？安德森的，还是扎克伯格的？不一定。Facebook实力雄厚，在招募人才方面具有充分的优势，所以不必依靠头衔来吸引别人的眼球。而有些公司不一定有如此强大的号召力，那就不妨借助一下花哨的头衔来扩大吸引力。无论是哪种情况，作为掌门人的你始终要保证公司内部严格的职务界定标准和提拔标准。

小结

你可能会认为，花费这么多笔墨来谈论升职和头衔有些过于形式主义。如果这样想，你就错了。没有一套缜密、严格的人员任用标准和升职体系，员工会陷入因不公而引发的无穷无尽的矛盾之中。只要你预防得当，大家就不会再纠缠于头衔的高低，只会一心争当明星员工。

当天才员工变成超级浑蛋

在这个行业，员工必须得有一个足够聪明的大脑。因为我们的工作难度系数大，复杂指数高，而且竞争对手旗下全都是聪明人。然而，只有聪明还远远不够。出色的员工同样还要能吃得了苦，担得住事，并且善于和团队成员和睦共处。

这是我在担任CEO期间历尽艰辛获得的一份感悟。当年，我的目标就是营造这样一个工作环境，以使背景不同、性格迥异、工作方式千差万别的各类优秀人才汇聚一方，共同创造辉煌的业绩。我的想法没错，这就是我的工作。和那些没有纳贤于八方的公司比起来，能将形形色色的顶尖人才招揽在自己门下是一种极大的优势，有助于你吸引和留住更多的能人志士。但是，对人才的依赖要适可而止，不要重蹈我的覆辙。

接下来，我要讲三个关于“天才员工变成超级浑蛋”的故事。

事例一：异类

任何一家大公司都会制定一些没什么用的政策、计划，或是进行一些毫无意义的工作，提拔一些毫不称职的员工。只要是大型机构，那就难求十全十美。因此，公司需要选拔大量头脑灵活且责任心强的员工来发现机构运作中的漏洞，并协助解决这些漏洞。

然而，有些头脑灵活的员工不但帮不了公司，反而会给公司制造更多的麻烦。出现问题时，他们不是立即找出其中亟待修复的漏洞加以解决，而是拼命挑毛病，以凸显自己的高明。具体来说，他会质疑公司的前景，贬低公司的领导者，以此来衬托自己。有这种习惯的员工越聪明，产生的破坏力就越强。也就是说，聪明人产生的危害性会达到最高点，因为人们对聪明人往往坚信不疑。

这些聪明人究竟为什么要贬低自己供职的公司呢？原因有很多，譬如以下这几条：

1. 为寻求关注。由于没有机会和主管打交道，因此发牢骚是他获得关注的唯一途径。

2. 天生叛逆。他骨子里就桀骜不驯，不叛逆就不舒服。这是一种比较隐秘的人格特征。这种人往往更适合当领导，而不是普通员工。

3. 思想不成熟，无法理解公司经营者在管理中不可能知道每一个微小细节这个事实，因此会在出现问题时小题大做。

通常情况下，我们很难让这样的员工扭转态度。一旦他公开表明态度，来自各方的压力便会让他孤掌难鸣。假如他在 50 个好友面前说了“CEO是个蠢货”这样的话，那下一次他再这样说时就没几个人相信他了。多数人都不愿意让自己的信誉受影响。

事例二：怪人

有些人才高八斗，却一点儿都靠不住。在Opsware公司，我们曾经聘用过一个天才级员工，名叫罗杰（化名）。说他是天才一点儿都不过分。当时，他在技术部工作，一般的新员工至少要花三个月的时间才能渐入状态开展工作，而罗杰只用了两天。到了第三天，我们给他分派了一项预计一个月才能完成的任务。三天后，他给我们提交了一份几乎完美无缺的报告。准确地说，他用了72个小时：不眠不休连轴转的七十二小时，别的什么都不做，只有编程。在前几个月里，他是公司里表现最突出的员工，所以我们很快就给他升了职。

接下来，他就变了。随意旷工，刚开始是几天，后来变为几周，连个电话都不打。等到他终于露一面，便会听到他痛心疾首的道歉，可事后依然如故。他的工作质量也大不如前，人变得懒懒散散，工作时心神不定。我当时很纳闷，这么优秀的一个人怎么变成了这样。由于他在团队中发挥不了任何作用，主管想辞退他，但是我没同意。我认为他的天分依然在，只是需要我们把它发掘出来而已。但是我错了。后来我才知道，罗杰患有躁郁症，但拒绝服用治疗药物，而且，他还吸毒。我们最后不得不开除他。但时至今日，一想到他，我还是会惋惜不已。

不一定只有躁郁症患者才会做出古怪的行为，但古怪行为背后一定有其深刻的根源。有些人是因为染上了毒瘾而走向毁灭，也有些人是因为在别家公司赚外快而一心多用。一个公司是由集体的力量造就的，员工如果不能成为这个集体中值得信赖的力量，那么无论他的个人能力有多强，对于公司来说都是没有价值的。

事例三：浑蛋

这种类型的员工在任何部门都有可能出现，可一旦出现在管理层，其危害力将达到最大。大部分部门主管多多少少都会犯点儿浑，个别时候的满嘴脏话还能起到敲山震虎的作用。但我要说的是另外一种浑。

当一个人一而再、再而三地犯浑时，其后果是令人震惊的。一家公司在成长壮大的过程中，最大的挑战就是沟通。让成百上千人同时为一个目标而众志成城绝不是件容易的事。如果你的主管中有一个浑蛋，这个目标就完全不可能实现。有些人与别人交流时总是气势汹汹，致使别人在他面前根本就没法开口。当有人指出营销部存在的问题时，营销主管都跳出来恶语相向，那交流还怎么进行？久而久之，人们只要见到这家伙在场，就不会讨论任何工作。渐渐地，主管间的沟通不畅会慢慢瓦解整个公司。请注意，这种情况只发生在那些智商出众的浑蛋身上。若不是才智超群，别人也不会把他的攻击放在心上了。恶狗咬人咬得才狠。如果你跟前有这样的恶狗，你就必须早做了断。

区别对待

曾经有人问著名的足球教练约翰·麦登，是否会接纳像特雷尔·欧文斯这样的队员。欧文斯是顶尖的足球运动员，但同时也是个大浑蛋。麦登回答道："当你的车上拉着全队成员，因为他的迟迟不到有可能错过比赛时，你当然不能再继续等下去，班车得准点开。然而，有时候你需要用专车接送他一个人，因为他是最棒的。"

菲尔·杰克逊是NBA冠军队的教练，也曾被问到对他手下鼎鼎有名的怪才丹尼斯·罗德曼的评价。"既然丹尼斯·罗德曼可以在训练中缺席，那是否意味着迈克尔·乔丹和斯科蒂·皮蓬这样的球星也可以不参加训练？"杰克逊回答道："当然不是。这个队里只能有一个丹尼斯·罗德曼，事实上，即便是全世界也找不出几个像他这样的人。如果对每个人都网开一面，那就乱套了。"

在你的身边，可能也有符合以上情况的员工，他们能为公司做出贡献，却是不安定因素。你可以尝试私底下将他带来的负面效应降到最低，使他不至于殃及你的企业。

该不该招资深人士？

新起步的公司运转良好，业绩蒸蒸日上，你却听到董事会有人在危言耸听："应该让老将出马，让一些真正有实战经验的管理人员来帮助公司上一个台阶。"真是这样吗？是时候这样做吗？如果是，那你应该从何入手？请来了他们，你该如何领导？如何衡量他们工作的质量？

你的第一个疑问是，"我为什么要依靠他们？他们的独特品位和老谋深算是否会破坏公司的风气？"在某种程度上，他们会。正因如此，你才需要认真考虑这个提议。但是，能否在适当的时候引入经验丰富的人，往往是决定公司成败的关键。

让我们回过头来看第一个问题，为什么要任用这些资深人士？答案很简单：时间。创办技术型公司，意味着你自此开始了一段和时间赛跑的艰难旅程，这段旅程将持续至你生命的最后一刻。没有哪一家刚刚创业的技术型公司能摆脱产品"保质期"这个魔咒。再伟大的想法过了期就会一文不值。如果扎克伯格上一周才入行，那他的Facebook会何去何从？我们在公司成立一年零三个月时推出了"网景"

浏览器，假如晚推出 6 个月，那我们就会因姗姗来迟而不得不和其他 37 家公司同分一杯羹。就算没有别的公司先于你抢占市场，如果五六年之后公司还是毫无起色，那无论你有多少雄才伟略，员工们也会失去信心。任用那些曾有过相关创业经验的人可以加速成功的进程。

但是CEO们，千万别大意。聘请资深人士加盟新创业的公司，有点儿像运动员为提高比赛成绩服用兴奋剂。如果使用得当，你有可能刷新纪录；如果使用不当，你就会一败涂地。

要想取得好的结果，你在招聘细则中就不要使用抽象空洞的字眼，比如“成熟的管理”，或是“真正的公司”。这种缺乏力量感的措辞不会起任何作用。恰当的表述可以是，“在某一领域能提供知识引领和经验支持”。

比如说，作为技术型公司的创办者，你可能在如何构建全球销售网络、创立所向披靡的品牌或是在寻找商机获取重要项目等方面不够精通，那么一位世界一流的资深人士的助阵将会大大提高你的公司在这些领域的办事效率。

究竟是从外围选拔人才还是从内部提拔人才？在做这个决定时，你可以先明确一点：对这个岗位来说，你认为究竟是外围经验重要还是内部经验重要。举例来说，技术部经理更需要了解编码基础和技术团队的综合情况，而不是如何管理该部门。因此，作为CEO的你最好从公司内部选拔人才，而不必考虑从外围引进。

但是在涉及销售主管这样的岗位时，就得反过来了。要想使产品走向全世界，销售主管就必须了解目标客户的想法和需求，知道他们的文化取向，清楚销售人员聘用的标准和尺度，从而实现销售业绩的最大化。只了解本公司的产品和文化是远远不够的。这就是为什么你从内部选拔的技术部主管可以干得很出色，而同样是内部选拔的销售部主管，工作起来却力不从心。问问你自己，“这个岗位究竟更看重外部经验还是内部经验？”这会有助于你在业界老手和公司新人之间做出抉择。

加盟之后

邀请资深人士加盟并不是一件轻而易举的事，我在第五章中曾经谈到这个问题，在此不再赘述。

另一个难题是，这些资深人士加盟之后，你该如何领导他们。一般说来，会出现以下几个麻烦：

- 他们会沿用过去那套办事方式。这些人会将以前的工作习惯、交流方式和价值标准带入公司，但它们却很难与你的公司文化达成和谐。
- 他们清楚如何驾驭制度。这些资深人士都来自大机构，深谙生存之道。但这种态度在你的公司会显得像在玩儿权术。
- 你对工作情况的了解程度不如他们。事实上，你聘请这些人正是因为你在这个方面技不如人。所以，你怎么能就工作问题挑他们的毛病呢？

为了防止这几种情况发生，你应该审慎思考，拿出适当的应对策略来防患于未然。

首先，要求他们顺应公司的企业文化。他们来自不同的公司，拥有不同的企业文化，而且有些企业文化的确比你公司的更胜一筹。但要记住，现在他们是在你的公司就职，那就必须接受你这里的文化，适应你这里的办事风格。在这个问题上，不要因为对方资格老而轻易让步。坚持你的原则，推行你的企业文化。假如你希望能将一些新鲜元素融入进来，那也无妨，但一定要明确立场，不要左右摇摆。另外，你要避免他们为争权夺利而使诡计，一旦发现，绝不姑息。

其次，制定一个清晰明确的高标准工作要求，这也许是最关键的一点。要想拥有一家世界一流的公司，你要先确保自己的员工出类拔萃——不管是新人，还是老将。不能只满足于对方比你更胜任这份工作，因为你聘用他们就是为了让他们做你不擅长的事。

所以，不要因为你在某项业务上缺乏经验就降低对他们的工作要求。我曾见到过不少年纪轻轻的CEO，他们会因为在公司创立时媒体发布的几个正面报道而喜出望外，认为自己公司的营销和公关能力相当了得。这个标准太低了。随便哪个人都能找个记者为一家粉墨登场的新公司写点溢美之词装点门面。只有那些世界一流的公关人员才知道如何打理有瑕疵的公司。他们善于化腐朽为神奇，能变废为宝。这离不开他们精心创建的合作关系、过硬的专业知识，以及坚定的信心。

为确保高标准，你可以在选拔人员时面试那些已经在某个领域小有名气的应聘者，听听他们是怎么要求自己的，然后加以借鉴。一旦定下一个可能实现的高标准，就要要求主管们按这个标准做，而不必操心他们如何达到这个标准。至于如何创出一个响当当的品牌，如何拿下一单举足轻重的业务，如何实现一个不可思议的销售目标——这都不是你的工作，而是他们的，你出钱聘请他们就是为了让他们帮助你完成这些任务。

最后一条，他们不仅要完成任务，还要善于与人合作，成为团队的一分子。比尔 · 坎贝尔提出了一套极佳的四分检验法，这种方法可从 4 个方面科学合理地衡量主管们是否出色地完成了工作。

1. 参照标准检验结果。一旦设定了高标准，你只需参照标准来检验主管们的工作成效。

2. 管理能力。即便该主管出色地完成了岗位目标，他也未必能带出一支实力雄厚的富有凝聚力的团队。所以，就算他能完成任务，对其管理能力的考查也必不可少。

3. 创新能力。主管们极有可能为实现眼前目标而放弃长远打算。例如，为了能漂漂亮亮地按时完成任务，技术经理可能会勉强推出一套卖点十足的软件，但这套软件却不支持更新。所以，你必须要像肉制品加工厂的老板一样，深入一线，亲自看看产品的制作过程。

4. 合作能力。合作也许是形势所需，而非心甘情愿。但是作为主管，你必须要善于沟通，能有效地与其他人协调。因此，也要从这个层面对他们进行评估。

嗨，老兄，你出卖了自己

初次雇用一个身经百战的资深员工会让你觉得好像把自己给卖了。要是你疏忽大意，那最后很可能连全部家当都得拱手奉上。但是，要想为一穷二白的公司添砖加瓦，你必须承担这个风险，而且必须在分秒必争的市场竞争中取得胜利。资深人士出类拔萃的才干、广博深厚的知识、久经沙场的阅历都是你需要的，即便你为此不得不应付他们带给你的种种难题。

“一对一”沟通

在我初次提出“一对一”式的沟通方法之后，大家的反应相当强烈。约有一半的回复者对此横加批判，认为“一对一”这种方法毫无效果。另外一半人则很想知道如何有效地采用“一对一”方法。在我看来，这两类人的观点就像是硬币的两面。

对CEO而言，首要的管理责任莫过于为公司搭建信息交流网络。这个网络可以涵盖组织设计、会议、流程、电子邮件、意见箱，甚至是与员工或经理之间的“一对一”的会面。缺少了这样的网络，信息和观点就会传输不畅，导致公司运营受阻。尽管这个网络中完全可以不包括“一对一”式的会面，但在多数情况下，这种形式有助于让信息和观点自下而上地传递至高层，所以你不该把它排除在外。

一般说来，那些不喜欢“一对一”的人往往被这种方法伤得不轻。要想让这种交流形式真正发挥作用，一定要明白一点：这是以员工为中心的会谈，不是以上司为中心。它不拘于形式，目的是解决迫在眉睫的问题、交流精彩绝伦的想法，或者倾诉郁结已久的焦虑。这些话题往往不适合通过工作报告、电子邮件或是其他非私人化的途径开展。

如果你是员工，心中已有一个创意雏形，只是你还不太确定其是否有价值，你该以什么形式获得上司的反馈意见而又不至于显得太唐突？假如你在职业发展道路上遭遇难以与之合作的绊脚石，你对他恨之入骨但又必须得保持理智，你会怎样发泄？假如你热爱这份工作但个人生活每况愈下，你又会如何寻求帮助？写工作报告，发电子邮件，给意见箱留言，还是做瑜伽？在这种时候，最合适的解决途径莫过于"一对一"式的会谈。

假如上司喜欢条理井然的工作安排，那就让员工决定会面的时间。最好让他们把时间提前告知你，以便给他们留出回旋的余地，可以在问题不太迫切的情况下取消会见。这样做还能让员工明确感受到这是以他为中心的会面，一切都由他决定。会谈时，上司要少说多听。现在，好多公司的"一对一"会谈往往是上司说得多，听得少，刚好颠倒了。

上司不负责安排会晤时间和发表长篇大论，但是有必要引导员工表达他的核心观点。这一点在面对那些性格内向的员工时显得尤为重要。如果你是个理工科出身的主管，那就需要在给员工做思想工作时掌握一些对话技巧了。

以下是我认为在"一对一"会谈中有助于引导对方表达想法的一些话题：

- 如果我们还有进步的空间，那你认为该从哪方面着手？
- 你所在部门的最大问题是什么？为什么？
- 在这里的工作中，哪一点令你感到不愉快？
- 公司里谁最优秀？你最佩服谁？
- 假如你是我，你会做何调整？
- 你这个产品的哪个方面不尽如人意？
- 你觉得我们错失的最大机遇是什么？
- 哪些是我们该做而没有做的？
- 你对这里的工作满意吗？

很多精彩的观点、棘手的状况，以及员工生活中迫在眉睫的问题，都会通过“一对一”这种交流形式传达到能够解决它们的人那里，这是它存在的最大价值。“一对一”交流方式历经时间考验，屡试不爽，但如果你还有更好的办法，但用无妨。

打造企业文化

要问什么是企业文化，企业文化的意义是什么，10 个 CEO 会给出 10 种不同的答案。他们会说，企业文化就是如何设计公司，如何剔除你不需要的员工，它是一种价值观，必须有趣，强调团结的力量，是帮你寻觅到志同道合的人才的好帮手，有人甚至认为，它是一种对某种东西的狂热信仰。

那么，企业文化究竟是什么？它重要吗？如果重要，那你该花多少精力在它身上？

让我们先来讨论第二个问题及其重要性。对新创业的科技公司而言，当务之急是研发产品。这个产品的功能至少要比现有市场上的同类产品强 10 倍。如果只是略胜一筹，那就不足以吸引大批的用户立即使用你的产品。在此基础之上，抓紧时间抢占市场。你的公司能研制出功能强大的新产品，别的公司也可以。因此，你得抢在别人前头占有市场。说实话，很少有哪家公司的新产品能做到独占鳌头，所以，赶在竞争对手前面占有新的市场份额就成为关键。

如果你既没有过硬的产品，又没能抢占市场，你就不应将其完全归咎于企业文化。全世界有着一流企业文化但最终以失败而告终的公司有很多，这说明仅凭文化成就不了企业。

既然如此，为什么还要苦心营造企业文化呢？原因有三：

1. 它的存在有助于你实现上述两个目标。

2. 在公司的发展进程中，它能帮你弘扬公司的核心价值观，使你的公司成为更理想的工作场所，成为更有前景的企业。

3. 最后一条，也许是最重要的一条，凭借充满人文关怀的企业文化，你和你的下属会心甘情愿地为公司的发展奉献自己的心血与汗水。

打造企业文化

我所谓的企业文化，并不是指企业的价值标准或者员工的满意度这类重大话题。准确地说，我这里要讨论的企业文化是关于如何设计一种工作方式，使企业实现以下目标：

- 让你的公司独树一帜。
- 保证重要的生产标准得以贯彻，如“让顾客满意”或者“让产品出众”。
- 帮助你挑选那些有助于你实现目标的员工。

企业文化的内涵涉及领域庞杂，但我重点要说的就是以上这几条。

推广你的企业文化时，请记住一点，人们日后所说的这套由你打造的企业文化，其实是一套逐步发展完善的文化，其中的大部分内容都是你和其他员工从经年累月的工作中提炼出来的精华。因此，你会希望将关注点聚焦在这为数不多的几个方面，希望通过它们影响一大批人将来的行为方式。

吉姆·柯林斯在其畅销书《基业长青》中指出，那些久经沙场屹立不倒的公司有一个共性，那就是“狂热信仰”。对此说法，我颇有些迷惑，难道怪诞的企业文化加上狂热的追随者就一定能让你的公司鹤立鸡群？

这有一定的道理，但又不完全准确。在实际情况中，那些架构合理的企业文化往往让人事后想起来感觉有些疯狂，在这一点上，柯林斯是对的。但这种疯狂并不是企业文化打造者的初衷。你完全没必要煞费苦心地让自己的公司变成别人眼中的怪胎，你只需要通过强大的企业文化来改变大家的工作状态。

最理想的做法是从细枝末节入手。这些细节要足够小，能够身体力行，又要足够重要，能够影响人们今后的行为模式。在实践时，要做到一鸣惊人。如果你提出的要求能够一石激起千层浪，那就一定会改变人们的行为方式。《教父》中就曾有这样一个场景，教父请一位好莱坞大导演给自己的朋友安排一份工作，对方没搭理他，于是，一个血淋淋的马头出现在了这个导演的床上，随后，这个人的就业问题立马得到解决。所以说，出奇招方能制胜。

下面我来讲三个故事。

以门当桌。很早以前，亚马逊网站的创始人兼CEO杰夫·贝佐斯曾设想办一家公司，这家公司不再从顾客身上获利，而是把利益带给顾客。为了实现这个梦想，他打算在远期成为行业内的价格领导者和客户服务领导者。要想实现这个目标，大手大脚可不行。杰夫本来要花大量的精力来审核每一笔开支，对超出预算的人大加斥责。但他没有。他倡导大家节俭，推行节俭的企业文化。他的做法相当简单：公司的所有桌子都要利用从“家得宝”购进的廉价门板，自己用钉子钉上桌腿。这些用门板改装的桌子既不符合人体工程学，又配不上亚马逊公司上千亿美元市值的身价。当时，一个新人觉得这种做法不可思议，问老板为什么非得在这样一个用零部件凑成的桌子上干活时，杰夫的回答斩钉截铁：“我们尽一切可能节约开支，就是为了以最低的价格为客户提供最好的产品。”如果你不喜欢在门板上工作，那在亚马逊肯定待不长。

1分钟10美元。当初创办安德森·霍洛维茨风险投资公司时，马克和我的想法是视企业家为上帝。我们现在还记得创办公司时内心的那番煎熬。当时，我们希望公司上下明确这样一个事实：我们是初出茅庐的小公司，而企业家则是资本大鳄，万事皆应以他们为中心。在我们看来，视他们为上帝的第一条原则就是守时。就算我们在处理更重要的业务，也不能因此让他们在大厅里等半个小时。我们希望自己的员工守时、敬业、专注。遗憾的是，任何在职场上打拼过的人都知道，这一条要求说起来容易做起来难。为了给员工敲响警钟，我们定下了一个无情的规定：会见企业家时，迟到1分钟，罚款10美元。

假如你因为接一个重要的电话晚到了10分钟，对不起，请准备100美元的罚金。后来，每当有新员工对这个规定表现出不解时，我们都会好好解释一下为什么要视企业家为上帝。如果在你的心目中，企业家不及风投资本家重要，请恕本公司不能留你。

快速行动，打破常规。马克·扎克伯格推崇创新，他认为创新就是险中求胜。因此，在初创Facebook的那段时期，扎克伯格倡导的企业文化是：快速行动，打破常规。难道他真的想要让大家搞破坏吗？不，他是在告诉人们该怎样考虑问题。这条让人匪夷所思的要求迫使大家停下来开始思考。在思考时，他们发现，在快速击破某个现有框架时，往往会产生出人预料的创新。“我应该做出这样的尝试吗？新想法可能很炫，但短期内会存在一定问题。”面对这样的顾虑，大家可能会仁者见仁，智者见智。但是，如果你认为万无一失比开拓创新更重要，那么你就不是Facebook所需要的人才。

在为你的公司设计出足够完善的企业文化之前，你得首先保证它与你的价值标准相一致。比如说，杰克·多西绝不会在他的Square公司拿门板当桌子，因为在那里，节俭不是重点，优美的设计才是王道。走进Square，你将体会到他们对设计的重视程度究竟有多高。

为什么带小狗上班或在上班时做瑜伽不算是文化？

如今，许多新入行的公司为了在企业文化上独树一帜，往往是八仙过海各显神通。有些公司的做法很出色，有些公司的做法很新奇，还有一些公司的做法相当怪诞，但是，它们大部分都没能成功地界定其企业文化。没错，对于瑜伽爱好者来说，能在公司做瑜伽当然好，而且也有助于通过这一运动提高团队的凝聚力。然而，这并不属于企业文化，因为它没有建立一种核心价值观来推动公司的发展，使公司在业界的地位坚如磐石。就你的企业发展目标而言，瑜伽毫无裨益，它只是一份加餐。

允许员工带比特犬来上班的做法也足够吸引人的眼球。热爱动物的人士历来受欢迎，而且也能体现出公司对员工的宽厚包容，所以说，这种做法具备一定的社会价值。但是，它无益于公司的发展。聪明的老板都爱惜员工，给点儿额外优待没什么关系，但这些优惠与企业文化无关。

小结

在后面的章节中，我将阐明：CEO的工作就是明确奋斗目标，然后让全公司齐心协力地朝着这个目标前进。推行适宜的企业文化有助于你在一些重要的领域取得长足的进展。

控制公司规模的诀窍

要想打造重量级的公司，你就得学会适时控制公司规模。新起步的创业者总会惊叹于谷歌和Facebook这样的公司，当年凭借屈指可数的几个元老，创下如今这番基业。今天，谷歌的员工人数已达两万，而Facebook的员工人数也超过了 1 500 人。所以，如果你也想成就这样的事业，那就有必要掌握规模控制的诀窍。

关于这个问题，董事会一般会建议CEO做如下两个选择：

1. 聘请顾问。

2. 聘请具备规模控制相关经验的资深高管。

这两条建议固然可用，但都存在极大的局限性。首先，如果你对机构的规模控制毫无概念，那就很难衡量哪些人胜任这份工作。假如你在编程方面的经验值为零，那你如何能断定谁才是编程高手？其次，许多董事会成员对于规模控制一无所知，所以很容易被有经验却没有技巧的人糊弄。如果你曾就职于一家大型公司，你一定见识过那些经验丰富却不善于运用经验的人。

要想寻找到最好的顾问和最有经验的高管，你首先得了解规模控制的基础知识，然后才能把相关策略融入你的管理，并根据实际情况做出决策。

基本观点：以退为进

随着公司规模的扩大，那些曾经轻而易举的事情开始变得困难重重。具体来说，在公司创业初期不曾令你头疼的问题现在变成了大麻烦，它们包括：

- 沟通
- 常识
- 决策

为了清楚地解释这一问题，我们先来说说职责划分。公司只有一名员工时，编程、测试都由他负责，而且他还得统管销售和推广，自己给自己当老板。他必须是个全才，所有决策都由自己说了算，不用和什么人沟通，完全是独立王国。但是随着公司规模的扩大，各个方面的麻烦就会接踵而至。

可话又说回来，假如公司规模不扩大，那就永远也成不了气候。所以，最大的挑战就是如何尽可能地降低因公司规模的快速扩大而导致的负面影响。

在这个问题上，我们可以拿美式橄榄球来打个比方。比赛中，进攻前锋主要负责保护四分位队员，不让他与防守前锋发生接触。如果进攻前锋寸土不让，那么防守队员会很轻松地绕过他，从而对四分位发起进攻。因此，进攻前锋必须先向后撤，使防守前锋能够向前推进，当然，每次只能退让一小步。

在控制机构的人员规模时，你同样应该以退为进。专业分工、机构设置、工作流程等问题都会日益复杂，这会让你感到自己越来越难以用常规经验来解决问题，也越来越难与其他人进行有效的沟通。这很像橄榄球比赛中进攻前锋的后退。你会因此失掉一部分阵营，却可以防止整个公司陷入混乱。

如何做?

当你感觉公司的人手已经不足以应付眼前的工作时，那就意味着防守前锋已经逼近，无论你有多不情愿，都得准备做出让步了。

专业分工

首先要采取的对策是实行专业分工。在新公司，每个人最初都是无所不能的全才。工程师能编程，能管理软件构建系统，能测试产品，渐渐地还能使用并操作这个产品。在初期，这种状态并无大碍，因为公司的所有情况大家都一清二楚，沟通的必要性也就降到了最低。由于各项工作并不是由专人分管，因此也就不存在烦琐的工作交接。但是随着公司的发展，业务复杂指数急剧攀升，你会发现很难再找到能身兼数职的新员工。及时引入新鲜力量便成为你的中心任务。这时，你就得考虑进行专业分工了。

通过分派不同的人员与团队去负责软件版本环境、测试环境和操作过程等任务，工作的复杂程度将会增加，比如部门之间的资料交接、可能引发争议的工作安排、对专业知识而非一般常识的更高要求等。为了缓解这些问题，你还需要从组织设计和工作流程两个方面来寻找对策。

组织设计

组织设计的头条法则是：理想的组织设计根本不存在。无论你怎么做，总是会在实现某些部门之间最优化沟通的同时，牺牲另外一些部门的利益。假如将产品管理部划拨给技术部，那二者之间的沟通就会增加，但产品管理部与市场营销部之间的沟通则会减少。因此，只要你打算划拨出一个新的部门，你就一定会招来某些人的不满。

然而，臃肿的机构到了一定时候总会因欠缺动力而运转不畅，所以你必须对其加以分解。从根本上讲，你得考虑设置一些分工明确的小组，比如说质量评估小组。采取这样的细分之后，工作的复杂性也将随之上升。客户软件项目组和服务软件项目组是各带一班人马，还是按需要由你统一安排？公司的规模壮大后，你还得明确在未来的发展思路中，究竟是以职能为中心（建立单个的销售部、推广部、产品管理部、技术部等），还是以使命为中心，成立功能齐全的独立的业务部门？

你的选择应该是两害相权取其轻。组织设计就像是搭建互通信息的交流网络。想让人们交流想法，最好的办法是把他们交给同一个上司，让他们待在同一个部门。相反，如果在工作中彼此不打交道，那么相互交流的机会也就会减少。组织设计就好像是构建了一个网络，这个网络决定着公司与外部世界打交道的方式。例如，你为了让销售人员更全面地了解产品，可能会安排他们分别与不同的产品研发小组进行深入沟通。要是你真的这样做了，你牺牲的可能是顾客的利益。顾客将不得不为了购买不同的产品而忙于应付不同的销售人员。

鉴于这一点，你在进行组织设计时需要遵循以下几个基本步骤：

1. 明确要交流的信息。首先列举出最重要的信息，以及哪些人需要了解这些信息。例如，涉及产品结构的信息，技术部、质量评估部、产品管理部、推广部和销售部的人员都有必要掌握。

2. 明确要决定的内容。考虑一下，哪些方面经常需要你做出决策？比如，产品功能的筛选、软件结构的取舍，以及技术支持的获取。你不能只安排公司里某个部门的负责人来为所有问题做出决策。

3. 明确你的侧重点。产品部经理应该更了解产品结构还是更了解市场？技术人员应该更懂顾客还是更懂产品结构？工作中的侧重点会因时而变，所以也要根据当下的具体情况重新调整思路。

4. 明确小组中谁说了算。请注意，这是第 4 个步骤，而不是第一个。组织设计应该最大限度地服务于做工作的人，而不是服务于主管们。将管理人员的个人野心凌驾于基层员工的利益之上，阻碍基层员工的信息交流，这是很多组织设计失败的根源。这一条被放在第4个步骤可能会让主管们不太高兴，但他们会克服的。

5. 明确哪些方面你尚未完善。这一步与选择最优化沟通方式同样重要。有些问题不是你工作的重点，但这并不意味着它们不重要。如果你对其视而不见，日后一定会深受其扰。

6. 制订预案以应对那些你尚未完善的问题。一旦明确那些你尚未完善的问题，你就要知道该如何防范，并制订预案以减少这些问题对公司上下可能带来的威胁。

以上6个步骤会让你的公司走得更远。在考虑下一步的组织设计时，我们还有必要权衡各方面利弊，例如，速度重要还是成本重要？如何推行机构改革？多久进行一次机构重组？

工作流程

工作流程的意义就是保障信息的畅通。如果公司里只有5名员工，工作流程就不是必需品，因为你们可以面对面地直接交流。你对下一个环节十分清楚，可以准确无误地交接任务，把重要信息传达给其他人，既能保证高质量地完成工作，又可以摆脱繁文缛节的束缚。但如果你拥有的是一家大公司，员工多达4 000人，那么信息的传递就不再是件轻松的事。一对一、点对点的交流将难以继续，你需要的是一条更加强大的信息运输专线，借用我们在描述人际交流专线时的常用词汇，便是“工作流程”。

工作流程就像一辆装备精良的通信车。它既包括精密的六西格玛流程，又包括精心安排的常规会议。流程可以向上、向下扩展或缩小，其规模取决于有待解决的问题的复杂程度。

在涉及公司跨部门的沟通问题时，工作流程可以确保员工之间的沟通得以开展并且顺畅进行。假如你想了解所在公司的初级工作流程，可以参考招聘过程。招聘通常涉及跨部门的合作（招聘小组、人力资源部——或者任何负责招募新人的部门、后勤保障部等），面对的是公司以外的人员（候选者），是决定公司成败的一个至关重要的工作流程。

流程该由哪些人来设计？当然是那些先前以点对点方式从事过相关工作的人。他们清楚该沟通些什么，知道该同谁去沟通。所以，他们是最佳人选。依靠他们，现有流程可以得到规范和完善，并具备可扩展性。

该在什么时候开启流程？尽管这个问题应当视具体情况而定，但是请记住一点：让新人适应老一套工作流程远比让老人接受新一套工作流程更容易。所以，将你目前的工作流程尽早加以规范，让新员工去适应它。

关于工作流程设计的文章和书籍汗牛充栋，在此我不一一重复。安迪·格鲁夫在《格鲁夫给经理人的第一课》中提出了一些观点，我认为非常有帮助。以下几条建议对于新公司来说尤为重要：

- **把“产出”放在第一位。**你首先应该考虑这个流程能带来什么样的结果。招聘流程能为公司带来出色的员工。如果把这设定为目标，那么，什么样的流程才能帮你实现这个目标？
- **明确以何种方式衡量你是否实现了各个阶段的目标。**是否找到了足够多的候选人？这些候选人是否合适？你的招聘流程能否为这个岗位招到合适的人员？如果你选择了某个候选者，他是否会接受这份工作？如果他接受了这份工作，是否能够做好？如果做得好，他是否会继续留下来为你效力？——你对以上这些问题的衡量标准是什么？
- **引入问责制。**哪个部门的哪个人为此环节负责？如何才能更好地了解他们的工作表现？

小结

设计公司的架构与设计产品的框架之间不无相似之处。规模各异的公司对于结构的要求也会有所差别。如果调整结构过早，公司会来不及适应；如果调整不及时，公司又有可能因不堪重负而垮掉。所以，你要对公司的增长速度做到心中有数，在扩大规模时慎之又慎。发展固然是好事，但操之过急就会适得其反。

能力预期谬论

有一回，我和两个朋友聊天，他们中一个是风险投资家，另一个是CEO。我们谈到了这个CEO手下的一位主管。他觉得这名主管表现优异，但是在更大规模的管理中缺乏经验。我的风险投资家朋友善意地提醒这名CEO，该认真考虑一下这个主管是否能胜任公司未来的发展需求。我当即粗暴地大声说道："无稽之谈！"这让二人大吃一惊。一般情况下，我的自控力还不错，不会口不择言，心里想什么嘴上就说什么。为什么当时会如此激动？以下是我的解答。

你必须时常对手下管理人员的工作表现进行评估，这是你身为CEO的分内之事。但是，拿公司未来的发展规模作为标准来衡量他们现在的表现，毫无凭据地妄加评判，这只会适得其反。原因如下：

- **在一定程度上，管理能力是后天掌握的一种技能，而不是先天具备的禀赋。**没有人一生下来就能管理一家上千人的公司，经验都是在一定阶段通过学习而获得的。

- **不能提前下结论。**你如何能预知某个主管是否能胜任未来的工作？你如何知道比尔 · 盖茨当年从哈佛辍学时就已经知道把控企业的规模？你是凭什么得出这个结论的？
- **提前下结论会阻碍别人的发展。**如果你断定某个人将无法胜任更复杂的管理工作，那给他们传授管理经验或者指出他们可能存在的不足还有没有意义？也许毫无意义，因为你已经判定他们技不如人。
- **切勿操之过急换主管。**这世上没有所向披靡、战无不胜的主管，只有在特定时刻特定环境下取得成功的主管。马克 · 扎克伯格为Facebook创下了奇迹，却不可能成功地领导甲骨文公司。同样，拉里 · 埃里森在甲骨文公司功勋显赫，却不适合管理Facebook。如果你拿将来的发展规模来衡量现在的管理队伍，操之过急地更换人员，聘请了高级别人才，那他们可能无法胜任眼前的工作，而眼前的工作才是最迫切需要应对的。所以，这样做的后果是得不偿失。
- **你必须等公司发展到更大规模时再做决断。**即使你没有换掉主管，也没有阻碍现有主管的职业发展，你都不该为时过早地下结论。无论你当初对他曾有过什么样的看法，你都得记住：时移事易，当公司真的发展到更大规模时，你再用充分的依据来考量他也为时不晚。
- **腹背受敌的日子不好过。**有人为你的公司鞍前马后，忠心耿耿，立下了赫赫战功，而你却因为微不足道的几条理由决定放弃他，

> 这样的做法只会让你腹背受敌。你将深陷信息的盲区，被欺瞒和假意所包围。那将是一个被偏见主导的局面，不再有善意的提醒，只剩下盲目的判断。那将是一个内部战火频发的境地，千万别让自己陷进去。

如果不能预先评判人们能否胜任将来的工作，那该怎么做？建议你至少每个季度开展一次针对管理人员的全方位评估。为避免做出错误的能力预期判断，你需要注意两个关键点：

1. 要结合当前的公司规模来进行评估。你需要从评估中了解该主管是否能胜任现有的工作，而不是其以后的表现。要全面宏观地去进行评估，不要排除当前规模这个因素，以免做出不明智的判断。

2. 做判断时要基于相对尺度而非绝对尺度。纠结于“这个主管够不够优秀”这样的问题只会让你无所适从。更科学的问法是：在公司发展的特定时期，我是否还能找到一个更好的主管？如果有这样一个人选，却被我最大的竞争对手招入旗下，那会对我们之间的胜负之战产生多大的影响？

总之，进行能力预期判断既有失公允，又缺乏依据，对公司的管理有百害而无一利。

第七章　前途未卜时怎么办？

这是为贫民窟的人而歌，只有他们懂得其中真意。

——美国说唱歌手纳斯《唐》

当年，把Loudcloud公司出售给EDS公司后不久，我们又陷入了新的危机。由于我们已将全部的创收项目和所有的客户拱手相让，机构投资人认为我们已经没有了投资价值，因此开始抛售手中持有的全部Opsware股份，导致我们的股价下跌到每股0.35美元。事实证明，这是一个戏剧性的数字，因为它对应的公司市值恰好是我们银行账户现金总额的一半。这个信号进一步动摇了投资者的信心，他们相信Opsware已经毫无价值，甚至希望我们能把剩下的资产全都卖掉，好赔偿他们的损失。更可悲的是，纳斯达克发出通告，要求我们必须在90天内将股价提高到每股1美元以上，否则将把我们从上市公司中除名，以后只能作为低价股来交易。

针对这一最新情况，我在董事会上拿出了三个方案：

1. 反向拆分。对股票进行反向拆分，十股合一股，股票总量变为原来的十分之一，而单价变成原来的 10 倍。

2. 就范。以后只能作为低价股交易。

3. 拉赞助。到外面去做宣传拉赞助，让更多的人购买我们的股票，以此来推升股价。

董事会对这个局面深表同情，并认为三个方案都能接受。安迪·克拉列夫认为，由于数量众多，反向拆分在投资者中造成的负面影响会有所降低。马克也表示，在数字媒体时代，被证券市场除名也不算什么太严重的事。

然而，我还是不愿意进行反向拆分，因为我不甘心不战而败，当个懦夫。如果我通过合股来提高股价，那就是在向外界承认我的无能，承认我的公司真的一文不值。此外，我也不希望公司被除名。马克的观点可能适用于将来，但就当时而言，低价股是不能向机构投资者开放的。因此，我决定选择第三条路：拉赞助。

第一个难题是：向谁拉赞助？那时，机构投资者从不关注每股 10 美元以下的股票，更不用说 1 美元以下的了。于是，我和马克就去请教公司的网络通信专家、有名的天使投资人——罗恩·康韦。我们介绍了当时的情况，告诉他仅凭与 EDS 签订的每年 2 000 万美元的合约，Opsware 公司的价值就不容小觑，而且我们还有一支出色的团队和一笔丰厚的知识产权，不可能成为一文不值的公司。罗恩认真地听完后，建议我们去找找赫布·艾伦。

我对赫布·艾伦并不熟悉，但是听说他创办了Allen&Company投资公司。该公司以其召开的顶级商界年会而为大家所熟知。这个大会只针对特定人群发出邀请，多年来受邀的嘉宾均是鲜见于其他会议的重量级人物，如比尔·盖茨、沃伦·巴菲特以及鲁波特·默多克等。可以说，Allen&Company年会能够请到的业界精英人数比所有同类会议请到的总和还要多——它就是这么厉害。

我和马克去了Allen&Company公司位于曼哈顿的总部，就在可口可乐公司的大楼上，赫布的父亲赫伯特在那里担任了多年的董事会成员。如果要用一个词来形容Allen&Company公司的办公总部，那就是“品位”。装饰精美却不奢华，让人感觉既精致又舒适。

人如其屋，赫布本人也是个谦谦君子。他一开始就对罗恩大加赞赏，并说只要是罗恩推荐来找他的，他都会很重视。于是，我和马克就原原本本地把转让Loudcloud公司的经过说了一遍，包括我们如何在出售服务给EDS的同时，保留了软件与核心技术人员，获得了每年2 000万美元的软件租让费。除此之外，我们还有一张干干净净的资产负债表，所以公司的股价绝不应该是区区的每股0.35美元。赫布专注地听完了我们的介绍，说了一句：“我很想能帮得上忙。让我考虑考虑。”当时，我并不知道他说这话时是否和硅谷的很多老板一样，意思是“算了吧，我对低价股没兴趣”，还是说他真的打算帮我们。很快，答案就揭晓了。

在接下来的几个月内，Allen&Company公司购入了Opsware公司的股票，赫布本人也购买了我们的股票，而且还说服他的几个客户成为Opsware公司的最大投资者。这一大手笔在数月内将我们的股价从每股0.35美元拉高到每股3美元。我们摆脱了被证券市场除名的风险，确立了新的投资阵营，并且重新鼓起了员工的士气。这一切，仅仅源于与赫布·艾伦的那一次会面。

多年后，我曾问赫布，为什么会在那时向我们公司伸出援手。要知道，Allen&Company公司当时还没有涉足技术领域，更别说数据中心自动化了。赫布的回答是："我对你们的业务一无所知，对你们这个行业的了解也很有限。我只是看到两个年轻人亲自来找我寻求帮助，而不是像其他上市公司的老板那样遇到麻烦就逃避。不仅如此，和那些大公司的老板比起来，你们成功的决心和信念要更强烈。所以，我其实是给勇气和决心在投资，这个决定并不难做。"

这就是赫布·艾伦的办事风格。因此，你千万不要错过与他合作的机会，否则就太遗憾了。

专注于目标，然后力求实现，不再为过去曾有或者将来可能会有的错误而担心、懊恼，这也许是我从企业家的角色中获得的最大领悟。本章将会简要介绍一些心得体会，希望有助于你在关键时刻做出准确的判断。

最难掌握的CEO决胜技

截至目前，我认为一个CEO最难做到的，就是对自己内心的控制。组织设计、流程设计、指标设置以及人员安排等都是相对简单的工作，对内在情绪的控制才是最艰难的。我原本以为自己的内心足够强大，但我错了，我其实很脆弱。

过去这些年里，我曾和数百名CEO谈及这个问题，大家都有相同的感受。但是，很少有人在公开场合谈论这个话题，媒体上也从未出现过相关报道。这就像是在高管组成的搏击俱乐部中，关于CEO心理问题的头条法则就是不得谈论CEO的心理问题。

冒着忤逆这条神圣法则的风险，我要在此试着描述一下这些心理问题，并 把我自认为有效的几条对策告诉大家。从根本上讲，这是每个管理者都无法回避的一场个人战争，意义重大。

既然我工作出色，为什么心情如此糟糕？

要想当CEO，你必须目标明确，一心扑在工作上。此外，你还要学识渊博，智慧超群，这样才会有人心甘情愿地为你效力。没有谁在辛苦创业时就想着当个差劲儿的老板、管理一个建制不全的公司，或是制造严重的官僚作风来制约公司的发展。要成功，就必须经历坎坷。其间，难免会有很多意料之外的状况，你只要从容应对就可以了。

最难的问题是，每个老板都必须从实践中求真知。没有哪个培训班会教你如何当CEO，如何去管理一家公司。唯一能教你当CEO的办法就是亲自当一回CEO。这意味着你将被形形色色的事务包围，而你却不知道该如何去解决它们。可是，其他人只会仰仗你来给出答案，因为，你是决策者。我还记得自己刚担任CEO时，一位投资人让我给他发一份“市值表”。我大概知道他要的是什么，但不清楚这个表格应该做成什么样，不知道其中应包含哪些内容。这本是件小事，但是，如果我对其一知半解，以后我该怎样处理其他事呢？正因如此，我在那个电子数据表上颇费了一番功夫。

可即便你了解眼前的工作，你还是会出状况。事实证明，在瞬息万变、竞争激烈的市场环境下，要搭建一个多层级机构并使之成为赢家其实是件相当艰难的事，出状况也在所难免。如果按百分制来衡量CEO们的优劣，那么平均分只有22分。这个成绩对于学业史辉煌的人来说绝对是极大的心理挑战。

假如你的员工只有10个人，不出状况的可能性极大；假如你带领的队伍有上千人，不出状况的可能性几乎没有。当公司发展到某个阶段时，出现的问题会让你百思不得其解，你不明白自己的员工怎么会有如此低能的表现。看到别人挥霍无度、工作拖沓、浪费时间时，你会感觉很糟糕；如果你是CEO，这些现象可能会气得你茶饭不思。

如果你认为这都是你的错，那就无异于在自己已有的伤口上撒了一把盐。

不怪别人

> 你不能埋怨爵士乐手，也不能抱怨大卫·斯特恩在NBA中的时尚问题。
>
> ——美国说唱歌手纳斯《嘻哈文化已死》

当公司里有人发牢骚时，比如说对经费报销程序不满，我就会开玩笑地把罪责都揽在自己头上。这样的玩笑的确好笑，因为它不完全是说笑。实际上，公司里出现的任何问题本质上都是由我引起的。作为CEO，我在人员招聘和各项决策中都是最终拍板的那个人。中途接手的CEO可以把所有问题都归咎于他的上一任，而我却不行。

如果我不能知人善任，那是我不对；如果公司没有完成季度赢利目标，那么是我的错；如果优秀人才要跳槽，销售部对产品部提出的要求不合理，或者产品的病毒太多，通通都是我的错。这一切都在把我逼向绝路。

虽承担了一切罪责，但我在CEO能力评估中却只得到22分，这就像一块巨石一样压在我的心头，让我喘不过气来。

太多的状况

重压之下，CEO们往往会形成以下两种错误观点：

1. 都是我的错。

2. 和我没关系。

在第一种情况中，CEO会忧心忡忡，觉得自己必须马上采取对策。由于各种状况层出不穷，最终往往会出现两种局面：外向型老板暴怒无常，吓得没人愿意再为他效力；而内向型老板则郁郁寡欢，心力交瘁。

第二种情况是指CEO在面对公司不断出现的负面状况时，为了规避内心的煎熬，往往持过分乐观的态度，相信一切都不算太坏。他们会觉得问题并不严重，用不着立刻地去处理。这种给万事找开脱的做法会让他们自己觉得轻松。可关键在于该解决的问题依然存在，员工们会因为CEO对根本性问题和矛盾的听之任之而备感沮丧。久而久之，公司就会变成一盘散沙。

对CEO来说，最理想的态度是既要雷厉风行，又要保持理性。他应该果断出手，快刀斩乱麻，避免让自己被负罪感所奴役。如果能甩掉情绪对自己的困扰，对问题的重要性做出理智的判断，员工以及他本人都会以良好的状态投入工作。

你是单枪匹马在作战

在公司陷入危机时，指望和员工们讨论公司生死存亡的大计显然没有意义。而与董事会或者外界专家顾问的商谈也往往无疾而终。他们与你在专业知识方面差距太大，所以不可能跟得上你的思路，给你出谋划策，你只能单枪匹马去作战。

在经营Loudcloud公司时，互联网泡沫的破裂使我们公司的大部分客户相继破产，从而对我们的生意造成了毁灭性的打击。或者说，这只是对当时状况的一种说法。另一种说法，也是公司对外采取的官方说法，是我们仍然有充裕的资金储备，并且以惊人的速度在吸纳新的企业客户。哪一种说法更接近事实呢？没有人能给我答案，我只能在心里问自己上千次。（顺便说一下，问自己同一个问题上千遍绝不是个好主意。）在这件事情上，我有两个具体的难题要解决：

1. 万一官方的说法不对怎么办？万一我因此误导了投资人和员工，那该怎么办？如果那样，我必须引咎辞职。

2. 万一官方的说法是正确的呢？万一我只是无端猜忌却导致公司偏离了正常的发展轨道，那又该怎么办？如果那样，我也必须引咎辞职。

通常，你只有在时过境迁之后才能解答这些问题，才会知道究竟哪一种说法是正确的。当年，新吸纳的客户没有成为救世主，但是我们通过其他的途径生存了下来，并且最终成功了。这说明，如果你想朝着正确的方向前进，就不能让自己被正反两种极端的思路所束缚。

三年前，我的朋友贾森·罗森塔尔接任了Ning公司的CEO一职。刚一上任，一次现金危机就摆在他面前，他不得不从三个备选项中做出痛苦的抉择：1.大幅裁员；2.转让公司；3.稀释每股收益。

我们来分析一下这三个选项：

1. 把他费尽心思招募进来的大批优秀人才解聘，会严重影响剩余员工的士气。

2. 将曾与他并肩作战的员工和公司整体转让，会剥夺他们实现伟大梦想的机会。

3. 稀释每股收益会降低员工的主人翁地位，剥夺他们的辛勤工作所创造的经济价值。

这真是个令人纠结的选择。胸怀壮志的企业家们，如果你不想在虎口与火坑之间做出抉择，最好的办法就是不做CEO。

贾森咨询了业内的一些顶尖人物，但最终的决定还得由他做出。没人能预知未来的发展，无论选择哪条路，贾森都难辞其咎。最后，他决定裁员，解聘那些入职时间较短的新员工。这个选择如今看来是正确的。Ning公司的年收益节节攀升，员工的士气也被鼓舞起来。假如公司没能因此走上坦途，贾森就会成为头号罪人，并且要拿出新的方案来弥补。每次见到贾森时，我都会开玩笑似的说一句："欢迎你来做抉择"。后来，贾森还是把Ning公司转让给了Glam公司。

当你身处这样的境地时，务必要明白一点：几乎所有的公司都会经历生死攸关的时刻。鉴于这一现象的普遍性，我的搭档马克·安德森和斯科特·韦斯甚至用首字母缩写"WFIO"来表示它。"WFIO"

代表“we’re fucked，it’s over”，意思是“我们要完蛋了”。根据他们的结论，一个公司会经历 2~5 次这样的时刻（虽然我敢肯定地说，我在Opsware公司至少经历了 10 次）。

安抚神经的良药

心理问题之所以麻烦，是因为人们的心理世界千差万别。鉴于此，我将自己多年来总结的几条经验拿出来与大家分享，希望能对你们有所助益。

多交朋友。尽管你不可能在棘手问题的处理上指望他人拿出有效的对策，但是从心理学角度来看，与曾有过类似经历的人交流会对你大有裨益。

把想法写出来。我们是一家上市公司，所以我觉得最好把所有的客户和全部的收益都转让出去，然后转型做别的生意。但是，当我想要向董事会就此事做报告时，脑袋里却乱作一团。为了让这个决策能执行下去，我把想法条分缕析地写了下来。写的过程使我的思路渐渐清晰，并最终帮我顺利做出了决定。

盯着路，别看墙。人们学开车时，要掌握的第一要领是：当你以 200 英里的时速拐弯时，千万别看墙，一定要盯着路。如果你看着墙，你就会直接撞到墙上去；盯着路，你就能安然无恙。管理公司就像开车。千头万绪的事情都有可能出状况并变成大麻烦，如果你的注意力全部放在这些事情上，那你就会像一辆失控的汽车，最后很有可能连公司也被你拖垮。所以，你需要紧盯的，是你的目标，而不是那些你想要躲避的东西。

不抛弃，不罢手

在CEO的生涯中，我无数次产生想放弃的念头。我曾见过不少人在重压之下借酒消愁，或是干脆停止努力。他们有充分的理由来为自己的放弃做辩解，可这些人中，没有一个人能成为杰出的CEO。

杰出的领导者会直面痛苦。无眠的长夜、涔涔的冷汗，还有难以名状的"煎熬"，他们都曾经历。每当我遇到成功的CEO，总会向他们讨教成功经验。那些泛泛之辈的答案可能是非凡的战略举措、敏锐的商业嗅觉，或者是其他一些溢美之词，而杰出的CEO们往往只有一个统一的回答："我没有放弃。"

胆怯与勇敢只一线之隔

> 英雄和懦夫有什么不同？勇敢与胆怯又有什么差别？我告诉自己的孩子，其实没有差别。唯一能区分它们的，是你的所作所为。英雄也好，懦夫也罢，他们的感受是相同的。他们都惧怕死亡，畏惧伤害。胆怯的人拒绝面对他必须面对的事情，而勇敢的人则用意志赶跑怯懦，然后继续去做他该做的事。那些旁观者对你的判断往往是基于你的行为，而不是你的感受。
>
> ——拳击教练CUS D'AMATO

我和搭档与企业家打交道时，最关心对方身上是否有这两种特质：智慧与勇气。我的CEO生涯告诉我，在面临那些至关紧要的问题时，老天考验的是我的勇气，而不是我的智商。

能够正确决断自然是好，可是唯恐决策失败而产生的心理压力往往会让你喘不过气。而且这些压力通常都来自一些小事。

当CEO和董事长坐在一起谈论公司内的权利归属时，往往会有这样一番对话：

“谁来管理公司？”

“我们。”两人齐声说。

“谁来做最终决定？”

“我们。”

“这种状况要持续多久？”

“永远。”

“就是说你们谁也不想承担责任，所以只能让员工的办事难度加倍，是这意思吗？”

沉默。

通常来说，员工应该只向一个最终决策者汇报工作，这无疑要简单得多。只可惜，在当前的社会重压下，正确的管理方式被放在了一边。由于公司创始人缺乏承担责任的勇气，致使每个员工都不得不承受二次审批带来的种种不便。

更重要的是，公司在规模扩张的同时，需要制定的决策也越来越让人胆战心惊。当初我们决定让Loudcloud公司上市时，账面上只有200万美元。这不算是个太艰难的抉择——大不了破产。真正让人畏惧的，是如何在所有人——员工、记者、投资人——认为你的想法是异想天开时，你还能做出大胆决断。

正确决断需要智慧和勇气

有时候，如果摆在你面前的是一个复杂的决定，那么你的勇气就会显得更为重要。与公司中的其他人比起来，CEO无论在技能、知识，还是在看问题的视角上都应该技高一筹。当然，有些员工或董事会成员在经验和智商上会胜过CEO，而CEO能更好地做决断，是因为他的知识储备更丰富。

当CEO面对一个棘手的问题时，如果其中一种做法只是以微弱优势获得了他的青睐，比如说，54%的可能是关闭这条产品生产线，而46%的可能是保留它，那么他要接受的考验将会更加严峻。要是那些董事会和管理层的聪明人全都站在他的对立面，他该如何应对？在没有十足的把握、在所有人都投反对票时，他还敢不敢关闭生产线？如果他决策失误，那就要怪他没有听资深顾问的意见；如果他决策正确，也没有人会因此赞赏他。

前不久，某大型机构提出收购由我们投资的一家公司。考虑到这家公司的发展速度和收益情况，这可谓是一笔颇具吸引力的买卖。公司的创始人兼CEO（我暂且叫他哈姆雷特）觉得不该出售，因为他还希望挖掘更大的市场潜力。但是，他不确定对于投资人和员工来说，这是不是最佳的选择。他想拒绝对方的要求，又有些犹豫不决。更麻烦的是，董事会以及大部分管理人员和他的想法刚好相反。哈姆雷特忧心忡忡地苦思冥想了几个晚上，他发现根本就想不出答案。最后，他做出了一个大胆而又了不起的决定：不卖公司。我认为这是他职业生涯中的一个决胜时刻。

有趣的是，哈姆雷特刚一做出这个决定，就迎来了董事会和管理层的一致拥护。为什么呢？既然他们迫切想要卖掉公司并奉劝CEO放弃梦想，为什么会突然改变态度？后来才知道，让他们最初倾向于卖掉公司的最主要原因就是哈姆雷特的举棋不定。他们以为自己的态度就是老板想要的。哈姆雷特没有意识到这一点，误以为对方是经过全面分析才得出的结论。幸运的是，他凭借勇气最终做出了正确的抉择。

我们可以在企业信用模型中看到这个普遍存在的问题：与靠自己的判断力做出的决定相比，在多数人影响下做出的决定能为你带来更好的社会评价。

	结果证明你是对的	结果证明你是错的
你的意见和多数人相左	没有人会记得是你做出的决定，但公司受益。	所有人都记得你做的这个决定，你会因此而被降级，被冷落，甚至被解聘。
你的意见和多数人一致	所有提出过建议的人都会记得这个决定，公司受益。	你因此承受的指责会降到最低，但公司受损失。

从表面上来看，如果你希望自己的决定能让公司安然无恙，那么随大流似乎是更为稳妥的做法。但是在实际操作中，多数人的看法会影响你的判断，使一个原本一目了然的选择变得难分高下。这就是为什么勇气对于CEO而言至关重要。

像塑造性格一样培养你的勇气

在管理Loudcloud公司和Opsware公司时，我所做的每一次艰难抉择都令我胆战心惊。这种畏惧感始终笼罩着我，但是在无数次的磨炼之后，我学会了忽略它。这个过程也可被称作“培养勇气的过程”。

生活中，每个人都会走到这样的十字路口，不知该选择风光无限却是通往错误终点的平坦大道，还是该选择人迹罕至却是通往正确目的地的崎岖小径。这种内心的挣扎在你管理公司的过程中会表现得尤为强烈，因为CEO一旦做出错误的决定，后果会比普通人的严重几千倍。和普通人一样，CEO在犯错后也会找多种多样的借口。

普通人的借口	CEO的借口
智者千虑，必有一失。	这是生死攸关的决定。
我所有的朋友都想这样做。	大家都不赞同我的做法，我不能违背民意。
那些厉害的人都是这样做的。	业内的行规就是这样，我不知道它违法。
它不够完美，所以我放弃竞争。	我们从未生产出符合市场预期的产品，因此我就没指望它们能卖得出去。

你每做一次艰难而正确的决定，勇气就会增加一分。相反，你每做一次轻松却错误的决定，怯懦就会多出一分。作为CEO，你的公司是勇往直前还是畏首畏尾，完全取决于你的选择。

小结

在过去的10多年间，科技进步极大地降低了开办新公司所要求的经济门槛，但是打造一流公司所需要的精神门槛——勇气——始终都没有降低过。

“一”与“二”

在其畅销书《从优秀到卓越》中，吉姆·柯林斯通过大量的研究和全面的分析指出，在选拔CEO继任者的问题上，公司内部候选人比外围候选人的表现要强得多。这主要是由于他们的见识更广。和管理大型公司所需的技能比起来，专业知识、文化知识、决策经验、人员管理等方面的能力似乎更难掌握。柯林斯在书中没有详尽解释内部候选人有时也会失利的原因，但是我愿意就此提出一些个人观点。我将重点谈谈管理公司所必需的两项核心技能：第一，目标明确，知道自己该做什么。第二，能带动全公司去实现这个目标。我把那些更乐于为公司确立目标的CEO称为“一”，把那些更喜欢在实践中推动公司发展的CEO称为“二”。

“一”的好恶

第一类CEO对于搜集信息乐此不疲，这些信息来源广泛，通常上至员工、客户，下至竞争对手。他们还热衷于制定决策，认为只有借助全面的资讯，才能做出最好的决断，如果资料太少，他们也会在必要的情况下从容做出决议。这些“一”们具备出众的战略眼光，最享受与对手在高处过招时的愉悦感。

这类CEO有时会对管理公司过程中重要的细节心生厌倦，例如流程设计、目标设定、机构责任划分、员工培训，以及绩效管理等。

大多数创业型CEO都属于这一类。他们如果在商场上败下阵来，最重要的原因是他们从未花时间去培养自己的另一项能力——将决策有效付诸实施的能力。由此而造成的后果是，公司混乱无序，潜力得不到发掘，CEO最终退位让贤。

“二”的好恶

第二类CEO刚好相反。他们能从操控的过程中获得满足。他们会认准目标，持之以恒，除非迫不得已，否则他们坚决反对调整目标和发展方向。

这类CEO乐于共商大计，但往往受不了深思熟虑的过程本身。“一”们可以每周抽出一天时间怡然自得地看书学习或是思考，这对“二”们来说是不可想象的，他们会坐立不安，觉得自己没有好好做工作。他们满脑子想的都是该如何推进各种工作流程，该安排哪些人负责哪些项目，该打哪些销售电话，而不是浪费时间去思考战略问题。

在面临重大决策时，“二”的焦虑感远大于“一”。环境往往会迫使人们在没有把握的情况下做出重要的决定，由于“一”们对此习以为常，所以不会过分担心结果。而“二”们则相反，他们会因为这样的状况而高度紧张，为了给自己制造一种一切尽在掌控的心理错觉，他们有时还会将决策过程过分复杂化。

这类CEO不管是多么忠实的行动派，有时都会因为迟迟拿不出决议而使公司发展陷入停滞。

全面发展才能成为出色的CEO

尽管CEO中既有“一”又有“二”，但只要有自控力，只要努力，那些与生俱来的弱点都可以得到弥补。一个CEO如果忽略其管理能力中的短板，他就无法长远走下去。“一”们会导致公司一团混乱，“二”们则会延误战机。

功能型的“一”

一般说来，兼具两种能力的CEO最理想。例如，销售部的主管可以很轻松地就部门内部的问题做出决策，但是在涉及公司总体发展的问题上则听从安排。这是一种最完美的领导素质，因为其方向清晰，决策及时而准确。

怎样组建机构?

公司设置机构等级的主要目的是提高制定决策的效率。大多数CEO都属于第一类，如果机构等级最顶端的人不喜欢做复杂的决定，那么工作的推进将会相当迟缓。

如果你属于第一类CEO，那就不要在你的领导班子里再增加一个“一”，因为他会希望大家跟着他的指挥棒转。他与你之间的这种争斗会让员工不知所措。因此，许多出色的“一”型CEO雇用的副手往往都是“二”型或者是功能“一”型。

继任问题

接下来，我们就谈谈如何挑选CEO继任者。鉴于大多数公司都是由“一”型CEO掌舵，“二”型CEO当副手，因此如何选择继任者就成为一个棘手的问题。你会从管理层中挑选一个“二”型领导者接替现任CEO吗？微软公司就这么做过。2000年，史蒂夫·鲍尔默——微软公司当时的二号领导者——接替比尔·盖茨担任新一任CEO。抑或从公司基层选拔一个“一”型人才担任CEO？通用电气公司当年就因为这样的大胆举措而让业内外哗然。1981年，通用电气公司破格提拔了杰克·韦尔奇，这不仅打破了常规，而且还造就了通用电气公司历史上最年轻的一任CEO。“一”型人才居然深藏于基层，而且还比管理层成员更有资格执掌公司，这在大多数董事会成员看来是不可思议的。

以上这两种做法各有其弊端。第一种做法使得公司置于“二”型领导者的管理之下，一旦遭遇关键时刻，“二”型领导者在决策速度上的滞后就会导致公司在竞争中丧失先机。此外，那些管理层中的“一”型领导者也会因为无法施展自己的决策力而最终离开公司。

第二种做法则越过所有的高管，将基层人员直接任命为CEO，这极有可能在管理层中引发巨大的动荡。事实上，在很短的时间内，几乎所有通用电气公司的高管都选择了离开。对于通用电气公司这种多元化企业而言，这类人员调整是行得通的。而对于瞬息万变的科技企业来说，如此有违常规的做法相当危险。

重要结论

在此，我要给出的重要结论也许会让那些期待答案的人们大失所望，因为压根儿就不存在简单的答案。CEO职位的交接是一个棘手的问题。如果你从外围选拔人才，其实是在降低你的成功概率。如果从公司内部选拔，那就一定要把握好对“一”型人才和“二”型人才的判断。最好是你能推荐一个让管理层满意的“一”型人才来接班。请记住，好事从来都不完美。

优秀领导者的特质

不存在所谓完美的CEO。风格迥异的领导者，比如史蒂夫·乔布斯、比尔·坎贝尔，还有安迪·格鲁夫，都成就了了不起的事业。也许杰出的领导者最需要的一个特质就是领导才能。究竟什么是领导才能？就CEO这个角色来讲，领导才能意味着什么？非凡的领导才能究竟是先天赋予的还是后天培养的？

大多数人对“领导才能”的定义都类似于高等法院的法官伯特·斯图尔特对“色情文学”的那个著名定义：见到它，我就认得出它。在此，我认为领导才能是那些可以衡量一个领导者基本素质的因素：有多少人愿意追随他，有哪些人愿意追随他，追随他的人都属于什么层次。

那么，哪些特质会吸引人们追随这个领导者呢？我认为，大致有以下三点：

- 有勾画蓝图的能力

• 有让他人追随你的能力
• 有实现理想与抱负的能力

我们来逐一分析一下。

勾画蓝图的能力：史蒂夫·乔布斯特质

观察一个领导者要看他是否有想法，勾画的蓝图是否有趣、新鲜、引人入胜。更重要的是，看他是否能在逆境中做到这些。具体地说，当公司难以为继、无法创造任何经济收益时，这个领导者是否有能力凭借令人折服的发展蓝图让大家留下来。

史蒂夫·乔布斯能吸引众多顶尖人才在NeXT风光不再时继续为他效力，能说服苹果公司上下在濒临破产时拥护他的发展思路，我认为这是他作为一个拥有前瞻视野的领导者的最大成就。很难想象，还有哪个领导者能具备如此强大的号召力，可以一次又一次成功地完成这些不可能的任务，正因如此，我把这条特质称为“史蒂夫·乔布斯特质”。

让他人追随你的能力：比尔·坎贝尔特质

有人说，当CEO的先决条件就是自私、冷酷、麻木不仁，这其实是极大的误读。事实恰恰相反，原因不言自明。一个成功的CEO

要做的头等大事就是将聪明人招募到麾下，而没有哪个聪明人愿意为自私自利的人效劳。

大部分人在职业生涯中都有过这样的体会：一个能力出众的上司因为不被下属认可，把工作做得一团糟。

真正出色的领导者会营造一种以员工为中心的工作氛围。这样的氛围往往会造就奇迹：众多员工凭借一种主人翁精神，一心一意地为公司做贡献。他们会在公司的成长过程中充当高品质的把关者，会为后续员工树立毫不含糊的标准。例如，“你得认真做好数据表，别拖公司的后腿”。

我把这种特质叫作“比尔·坎贝尔特质”，因为在我接触的所有人当中，比尔·坎贝尔是在这方面做得最好的一个。假如你和比尔经营的任何一家公司的员工交流，你都会听到他们说“我的公司”这类字眼。他极其真实，这也是他在领导才能这方面尤为突出的原因。为了员工，他会心甘情愿地牺牲掉自己的经济利益，放弃自己的声誉或者荣耀。和他谈话时，你会感觉到他真心实意地关注你和你的想法，这在他的行动和日后的表现中表露无遗。

实现理想和抱负的能力：安迪·格鲁夫特质

我要说的关于领导才能的最后一点，就是能力，纯粹而简单的能力。即便我认同领导者的远见卓识，能感觉到自己被尊重、受重视，我还是要看他是否有能力实现自己的抱负，想想能否跟随他一头扎进前路莫测的丛林，并且相信他能够带我走出去。

我把这种能力称为“安迪·格鲁夫特质”。在这方面，安迪·格鲁夫一直是我的榜样。他获得了电子工程学博士学位，出版了我所读过的最好的管理学著作《格鲁夫给经理人的第一课》，在多个方面尽展才华。他不仅写作出版了大量的管理学著作，而且还在英特尔公司任CEO期间为员工主讲管理学课程。

在他的经典著作《只有偏执狂才能生存》中，格鲁夫记录了他带领英特尔实现的一次重大的企业转型——从生产内存转向生产微处理器。做出这样的决定意味着他几乎放弃了所有的收益项目。他本人谦虚地把这一重大战略调整归功于公司里的其他人，但是能如此迅速且顺利带领公司完成这一转型的最大功臣还是他自己。作为一家有着16年历史的大型上市公司，改变最基本的业务类型将会带来诸多问题。

格鲁夫在书中提到了发生在他和员工之间的一个小插曲：“有一个员工盛气凌人地问我，‘你觉得不生产内存的英特尔还是英特尔吗？’我忍住怒气，答道，‘是的。’当时，局面一片混乱。”

尽管这一激进的想法让公司里许多优秀的员工都难以接受，但最终大家还是选择了相信格鲁夫。他们相信他有能力使公司在一个新的产业平台上发展得更好。事实证明，格鲁夫没有辜负他们的信任。

非凡的领导才能是先天赋予的还是后天培养的？

让我们来逐一分析以下三个特质：

- **勾画蓝图的能力。**毋庸置疑，有些人天生就比别人更善于讲故事。但是，只要用心、努力，任何人都能在这方面取得进步。每一位CEO都有必要在这项才能上多用心思。
- **让他人追随你的能力。**我不确定是否所有CEO都能完全学会比尔·坎贝尔特质，但我敢肯定，它是教不会的。在三个特质中，这个特质的“先天赋予性”最强。
- **实现梦想与抱负的能力。**这条特质完全可以通过学习去获得。也许正因如此，安迪·格鲁夫才会无法容忍自己的“无能”。说真的，有时候过分自信会妨碍能力的发展。一个CEO绝不能因为自信而放弃了对自己的更高要求。

最后要说的是，领导才能中的某些特质较其他特质而言更易于提高，但是以上讨论的这三条特质对每个CEO来说都至关重要。而且，它们之间也是相互促进的关系。如果大家信任你，就算你拙于言辞，他们也会跟从你。如果你能力出众，他们就会信任你并且听从于你。如果你能勾画美好蓝图，大家就会耐心等待，并且在涉及他们的利益时给你留出更大的余地。

顺境中的CEO和逆境中的CEO

过去，比尔·坎贝尔经常对我说："本，你是我合作过的CEO中最优秀的一个。"这话一直让我百思不得其解，要知道，在我的公司濒临倒闭的那段时期，他的合作对象都是史蒂夫·乔布斯、杰夫·贝佐斯以及埃里克·施密特这样的大人物。有一天，我在与他通话时谈到了这一点："比尔，为什么你觉得我是最好的？难道结果不重要吗？"他回答说，"很多CEO在顺境中表现得很优秀，也有很多CEO在逆境中格外出色，但是基本上没有哪个人在顺境和逆境中都能坚如磐石，可是你例外。"

据我自己的估计，过去这些年里，我只在顺境中当过三天的CEO，剩下的8年几乎全都是举步维艰的日子。回想起那段岁月，我仍然心有余悸。当然，我不是唯一有过这种经历的CEO。Foursquare的创始人丹尼斯·克洛利曾对我说，他每天都会想起逆境中经历的那番挣扎与紧迫。对于许多高科技公司而言，这种状况一直都存在。

举例来说，当年埃里克·施密特卸任谷歌CEO一职，由其创始人拉里·佩奇继位时，新闻媒体一度将焦点放在佩奇是否有能力充当谷歌的“门面”这个问题上，因为与能言善辩、为人活络的施密特比起来，佩奇要腼腆内向得多。尽管这样的分析不无趣味性，却没有抓住问题的要害。对于谷歌来说，施密特不仅仅是一个“封面人物”。作为谷歌在和平年代的掌门人，他带领公司在10年间完成了最重大的科技业务拓展。而拉里·佩奇却恰恰相反，是他带领谷歌走入了竞争的时代并使自己成为公司在逆境中的大管家。这对谷歌乃至整个高科技领域都产生了深刻的影响。

什么是顺境？什么是逆境？

所谓企业的顺境，是指在某一阶段，企业在核心生产领域具备强大的竞争优势，且该领域的发展呈上升态势。在这个阶段，企业的工作重心是拓展市场，进一步巩固现有实力。

而在逆境中，企业面临的是生死攸关的威胁。这些威胁的源头各不相同，有些是因为竞争，有些是因为宏观经济状况的变化，还有些是因为市场的变化、供应链的变化等，不一而足。安迪·格鲁夫就是一位经历过逆境的优秀CEO，在其著作《只有偏执狂才能生存》中，格鲁夫精彩地阐述了那些导致企业陷入困境的各种诱因。

顺境发展模式最经典的例子莫过于谷歌公司为提升互联网的网速所做的贡献了。作为搜索引擎业的巨头，谷歌公司坚信，提升网络速度是增加收益的关键，因为更快的网速可以使用户进行更多的搜索。

这个思路清晰的业界领头羊将重心放在了拓展市场上，而没有仅仅停留在与同类公司的竞争上。其经历可以算作逆境发展模式的典范。20世纪80年代中期，在来势凶猛的日本半导体生产行业的威胁下，格鲁夫大胆放弃了英特尔公司的内存生产，这是它的核心产业，而其80%的员工都服务于这个产业。

在企业由顺转逆的过程中，我认为最重要的一点就是不同时期要采取截然不同的管理方式。有趣的是，多数管理学书籍都在探讨如何在顺境中当好CEO，极少提及逆境中的管理策略。这些书都会涉及一些基本的管理原则，比如不能在公开场合让员工下不来台。而安迪·格鲁夫则反其道而行之，他曾在一间坐满了人的屋子里对一位迟到的员工说："我所拥有的唯一财富就是时间，而你却在浪费我的时间。"为什么CEO们在管理方式上会有如此大的差异呢？

公司处于顺境时，领导者必须最大限度地拓展现有机会。因此，他们的管理策略是以推动全方位、多层面的创新与贡献为重心。相反，当公司身处逆境时，领导者拼尽全力也要一发命中目标。能否走出逆境完全取决于领导者能否有效地完成使命。

史蒂夫·乔布斯重返苹果之际，公司已经岌岌可危——典型的逆境。他需要的，是所有人围绕中心使命，有效地执行他的决策，除此之外的任何个人想法都要靠边站。而谷歌在占领搜索引擎市场的龙头地位之后，采用了顺境模式的管理策略。公司鼓励创新，甚至要求每一位员工将20%的工作精力都放在研发新项目上。

顺境与逆境中不同的管理策略会由于恰当的运用而产生同样良好

的效果。它们各不相同，所以CEO们的管理方式也是各成一派。

顺境中的CEO和逆境中的CEO

顺境中的CEO沿着常规的路径向成功迈进，而逆境中的CEO则跳出常规来争取突围。

顺境中的CEO放眼于宏观前景，授权下属去做细节性的工作；而逆境中的CEO视细节如生命，唯恐因细节的疏漏而影响全局。

顺境中的CEO会搭建逐级递增的大型招募机构，而逆境中的CEO会在此基础上成立负责遣散人员的人力资源部。

顺境中的CEO会花时间营造企业文化，而逆境中的CEO则通过逆境本身来界定企业文化。

顺境中的CEO常备有应急预案，而逆境中的CEO常常得孤注一掷。

顺境中的CEO凭借天时地利有备而战，而逆境中的CEO往往要置之死地而后生。

顺境中的CEO尽量做到文明有礼，而逆境中的CEO常常有意说脏话。

顺境中的CEO认为竞争犹如隔岸之火，不会波及自己；而逆境中的CEO认为竞争就是伸进自家院墙的魔爪，危险近在咫尺。

顺境中的CEO志在拓展市场，而逆境中的CEO志在赢得市场。

顺境中的CEO能容忍员工因为努力创新而产生的小偏差，逆境中的CEO则对此绝不姑息。

顺境中的CEO总是心平气和，而逆境中的CEO几乎都用高八度的嗓门说话。

顺境中的CEO竭力弱化矛盾，而逆境中的CEO总是竭力让矛盾升级。

顺境中的CEO总是广开言路，而逆境中的CEO总是独断专行。

顺境中的CEO会确立有风险、有创新的宏大目标；而逆境中的CEO则忙于真刀真枪地迎击对手，顾不上看那些纸上谈兵的顾问们写就的管理学大作。

顺境中的CEO通过员工培训来确保他们的工作满意度和职业发展，而逆境中的CEO通过员工培训来教会他们如何在竞争中不被踢出局。

顺境中的CEO会放弃那些没能在业内占据领先地位的产业，而逆境中的CEO还没奢侈到把生意分成三六九等的程度。

CEO可以兼具两种管理能力吗？

CEO们能不能手握一把尚方宝剑，在顺境和逆境中都能游刃有余呢？

可能有人会说，我在逆境中的管理是成功的，而在顺境中的表现却是失败的。约翰·钱伯斯能够出色地带领思科公司在顺境中发展，但是在遭遇劲敌Juniper和惠普之后，他的表现却差强人意。史蒂夫·乔布斯则展现出典型的逆境管理风格，他于20世纪80年代辞去苹果公司CEO一职，在公司平稳发展的很长一段时间内缺席，直到10多年后于危机时刻重返苹果，尽情施展他的一番雄才伟略。

我认为CEO在顺境和逆境中都有可能有所作为，但是难度很大。掌握顺境和逆境中所需的不同的管理策略，意味着你必须深谙管理之道，清楚自己什么时候该坚持，什么时候该妥协。

要知道，管理学书籍大多是由那些管理顾问创作出来的，他们的观察和研究多半以公司平稳发展期的情况为基础，因此，书中描写的主要是顺境中的管理经验。事实上，除了安迪·格鲁夫的著作，我还没见到哪本管理学书籍能教你如何在逆境中当好CEO，就像史蒂夫·乔布斯和安迪·格鲁夫那样。

回到起点

其实，少许的“逆境模式”恰恰是谷歌在完成管理权交接后持续发展的根源。在给所有的谷歌产品刻上个性化烙印的过程中（例如，安卓操作系统的问世，谷歌眼镜的诞生），佩奇一丝不苟的工作作风起到了极佳的促进作用。有时，你需要在管理中添加一点儿“逆境模式”。

CEO是后天磨炼出来的

一位朋友曾经问我，CEO的能力是天生的还是后天培养的，我回答说："这有点儿像在问Jolly Ranchers糖是种出来的还是做出来的。当CEO是一项极端不符合人类天性的工作。"他极为诧异，这让我意识到，这个问题也许远远不像我想象的那样简单。

事实上，大部分人都持相反观点，认为当CEO的能力是与生俱来的，而不是后天培养的。我常常会听到一些风投资本家和董事会成员在短暂接触某个企业创始人之后，就认定他根本不是"当CEO的料"。我不明白他们如何能在那么短的时间内发现这一点。一个企业的创办者往往需要花费数年的时间才能掌握当CEO的技能。对我来说，判断一个人究竟能否当好CEO，其实是一件很难的事。

在运动领域，短跑这类技能可以在相对较短的时间内掌握，因为它是以身体的自然摆动为基础，只需稍加完善即可。而其他一些技能，比如拳击，则需要你花更长的时间去掌握，因为这项运动要求你凭借有违本能的动作和特定的技巧去完成。像我前文中说过的，当你在拳击比赛中想要后退时，务必要先退后脚，如果你像平时那样先抬前脚向后撤，对手一定能打得你眼冒金星。要想将这种有违常规的身体动作转化为自然而然的本能反应，大量的练习必不可少。当CEO也是一样，如果你带着寻常人的思路去管理公司，你同样会被对手打得措手不及。

当CEO意味着要做许多有违本能的事。从适者生存的角度来看，人们一般会通过自己的所作所为去拉拢人心，这有助于提高他们的生存概率。然而，作为一个出色的CEO，要想获得大家的长期认可，你就必须做出在短期内有违民意的事。这颇有违常情。

一开始，CEO最基本的行事方式都会显得有点儿怪。假如你的好友讲了一个好笑的故事，那么给他做点评就会让你觉得怪怪的。你会觉得这样说太不合常理了：“我觉得这个故事太烂了。它本来可能还有点儿意思，但是你的铺垫一点儿都不吸引人，然后在最精彩的部分你又搞砸了。我建议你拿回去，重新修改，明天再给我讲一遍。”

这样做的确有违天性，但是评估人们的工作表现，并且不断给出反馈正是一个CEO必须要做的。如果不这么做，那么一些更复杂的事情，比如写总结、明确职责范围、应对办公室政治、制定薪酬制度以及开除员工等事务就完成不了，或者即便完成也做得差强人意。

给出反馈有违天性，但它是其他管理技能的基础。那么，怎样才能掌握这些有违天性的技能呢？

三明治反馈法

对于一个新手而言，一种有效且常用的反馈策略就是经验丰富的经理人所谓的“三明治反馈法”。管理学经典《一分钟经理人》中对此有精彩的描述：“三明治反馈法”的基本概念是，如果你在一开始先表扬（第一片面包），人们会更容易接受你的反馈。接下来给出那些令他们不快的信息（批评），最后再提醒他们你有多看中他们的优点（第二片面包）。“三明治反馈法”还可以使你的反馈对事不对人，因为你在一开始就表达了对他的肯定，而这是一个非常关键的反馈信息。

“三明治反馈法”非常适用于低级别员工，但是它也存在以下一些问题：

- 它往往过于正式。因为你必须得预先想好内容，确保陈述正确，整个过程会让员工感觉很正式，像是在接受评判。
- 这种方法用过几次后，就会变得不那么真诚。员工会想：“天呐，他又在表扬我了。我知道接下来是什么了，批评。”
- 久而久之，中高级经理人员会立即意识到这是“三明治反馈法”，结果会适得其反。

我在职业生涯的早期曾试图给一位资深雇员做一份经过深思熟虑的“三明治反馈”，他就像看着一个小孩一样看着我说：“本，那些好听的就省省吧。直接告诉我，我哪里做错了。”当时，我就想，我绝对不是天生的当CEO的料。

关键点

要想精通反馈之道，必须要超越“三明治反馈法”这类基础技巧，形成符合自己个性和价值观的风格。以下是实现有效反馈的几个关键点：

- **真实可信。**务必要让他们相信你的反馈，不要说一些操纵听者感受的话。不能装模作样。
- **出发点正确。**给出反馈的目的是希望他们做得更好，而不是更差，这一点很重要。如果你真的想让他们成功，就得让他们感受到这一点。让他们感受到你的心。这样，他们才能感受到你的支持，才会听你的。
- **对事不对人。**如果想开除某个人，那就直接开除。不要让他准备好被开除，而要让他准备好取得成功。如果他不听取反馈，那就换一种对话方式。
- **不要在同事面前玩弄一个人。**虽然在小组会议上给出某种反馈并无不可，但绝对要避免让一个人在同事面前颜面扫地。否则，你的反馈将起不到什么作用，只会让这名员工感到羞愧难当，对你恨之入骨。
- **反馈因人而异。**每个人都不同。有些人对于反馈非常敏感，有些人则脸皮特别厚，也很迟钝。你的语气应当结合员工的个性，而不是由着你自己的性子。
- **直截了当，但不刻薄。**不要兜圈子。如果你觉得某人的演示很糟糕，不要说："这的确不错，但可以加一个过渡，强化结论部分。"下面的说法听起来严厉，但效果也许更好："我没听懂，不知道你要说什么，原因是××××。"弱化反馈中的批评部分，可能会比没有反馈还要糟糕，因为这可能导致误解，让听者困惑。但也不要一味批评他们，也不要摆出高人一等的姿态。这么做于事无补，因为正确的反馈是对话，而不是独白。

反馈应该是对话，而非独白

没错，作为CEO，你可以告诉人们哪些是你不喜欢的、不认同的，但这并不意味着你一定是对的。你的员工应当比你更了解他们自己的职责。他们应当比你掌握更多的数据。所以，你不一定总是正确的。

因此，你的目的应当是通过反馈来开启对话，而不是终结对话。鼓励人们质疑你的判断，批驳你的观点。从文化上，你希望围绕高标准展开深入探讨。你想通过施加高压，获得高质量的想法，但是，你在这样做的同时，一定要足够开明，以便及时发现自己的错误。

高频率反馈

一旦掌握了这些关键点，你就该时时刻刻练习。作为CEO，你几乎应当对每件事都有一个自己的看法。你应当对每项预测、每个产品计划、每次演示，甚至每项评论都有一个观点。让人们知道你的想法。如果你喜欢某个人的评论，就反馈给他。如果你不同意，也反馈给他。说出你的想法，充分表达自己。

这样做会带来两大积极效应：

- **在你的公司里，反馈对事不对人。**如果CEO不断给出反馈，那么与之互动的每个人都会习惯这一点。没人会想："天呐，他这么说到底是什么意思？他是不是不喜欢我？"每个人都会自然而然地关注事情本身，而不会认为你是在随心所欲地评估他们的表现。
- **人们会习惯于讨论坏消息。**如果人们习惯了讨论个人失误，那么讨论公司失误就会变得很容易。优秀的公司文化深谙"好事不出门，坏事传千里"的信息传播规则，而糟糕的公司文化则有绿野仙踪中东方女巫的影子："别告诉我坏消息。"

CEO的炼成

做CEO还需要有更广泛的技能，但要达到高级水平，获得天生就是CEO的感觉，你还要掌握这些后天的行事技巧。

如果你是创始人CEO，在做这些事时觉得别扭或者力不从心，并且深感在公司规模达到100人或1 000人时你无法做到这一点，那么欢迎你加入我们的俱乐部。这都是我的亲身体验。我遇到过的每一位CEO都是如此。这是一个过程，CEO就是这么炼成的。

如何评估CEO？

CEO是公司里最重要的角色，因而也是最受关注的一个人。由于CEO的职责界定非常模糊，所以常会害得你被各种各样的烦心事绊住手脚（尤其是当你听信某些人的话，认为“CEO就该是最棒的销售员”时）。

只可惜，有关这个问题的分析极少会对CEO产生帮助，因为大部分分析都是人们在私底下的议论。在此，我想反向地来聊聊这个话题。通过介绍自己设定的CEO评价标准，说说对CEO这份工作的定义。以下是我要提出的三个关键问题：

- CEO是否知道该做什么？
- CEO是否能让公司按他的意愿行事？
- CEO是否能就既定的目标取得理想的结果？

CEO是否知道该做什么？

人们应该就这个问题给出尽可能宽泛的注解。CEO是否在任何时候、任何事情上都知道该做什么？从微观层面看，它包括人事问题、财务问题、产品策略、目标分级、市场营销等方面。从宏观层面来看，它是指一个CEO是否为公司设定了正确的发展战略，是否知道该战略对公司各个方面会产生怎样的意义和影响。

我对这个问题的考量基于以下两个方面：

- 战略。在优秀的公司里，发展蓝图和发展战略是一个概念。因此，所有的战略性工作最后都指向一个正确结果——发展蓝图。
- 决策。CEO制定决策的速度和决策本身的品质可以反映他是否知道该做什么。

发展战略与发展蓝图

CEO有责任构建一个每位员工都能参与的发展环境。这个环境可以给人们从事的具体工作赋予意义。它能协调利益，促成决策，并且还能激发员工的工作热情。明确且合理的发展目标有助于构建这个环境，却代表不了全局的发展蓝图。说得更确切一点，目标不等于蓝图。蓝图超越了季度目标和年度目标的范畴，直指“为什么”的核心问题。为什么我要选择这家公司？为什么在这里工作，我应该感到荣幸？为什么我要购买它的产品？为什么我要给它投资？为什么这个世界因为有这家公司的存在而变得更好？

当一家公司能够清晰地规划它的发展蓝图时，供所有人——员工、合作伙伴、客户、投资人、媒体——参与其中的发展环境就会变得明朗。一家无法清晰规划蓝图的公司常常会出现这样的抱怨：

- 记者们没搞清楚状况。
- 公司里究竟由谁负责战略部署？
- 我们拥有卓越的技术，但是营销部不太配合。

CEO不必亲自担当远景规划师，也不必非得是蓝图设计师。但是，他必须是远景和蓝图的保护者。唯有这样，他才能确保公司的发展蓝图方向明确、令人信服。

发展蓝图不同于使命宣言，不是三言两语就能概括的。它就像一个故事，只要有必要，你可以一直讲下去，但是这个故事必须得有吸引力。一家没有故事的公司往往会缺乏战略性的发展规划。

想听听那些优秀公司的发展蓝图吗？去看看杰夫·贝佐斯在1997年写给其公司持股人的那封足足三页的信吧。那既不是口号，也不是宣言，而是一封洋洋洒洒的长信。在信中，杰夫讲述了亚马逊的创业故事，与所有读者尽情分享了他的发展蓝图。

制定决策

有些员工负责产品，有些员工负责销售，而CEO负责制定决策。正因如此，我们可以根据CEO制定决策的速度和决策本身的质量来对他进行准确的评估。伟大的决策往往来自那些集智慧、理性和勇气于一身的精英式CEO。

正如我在前文中所说的，勇气的作用不可小觑，因为CEO所做的每一个决定都是基于不完整的信息。根据哈佛商学院对某些个案进行的事后比对分析，CEO在对某一问题进行决策时，掌握的信息通常不到总信息量的1/10。所以，CEO必须有放手一搏的勇气，必须有胆量带领公司朝着一个不明确的方向前进，即便最终发现这是个错误的方向。那些最艰难的抉择（往往也是最重要的抉择），难就难在它们往往会遭到CEO最重要的支持者（员工、投资人、客户）的强烈反对。

在CEO的职业生涯中，我做过的最正确的一个决定就是将Loudcloud公司转让给EDS公司，继而发展成为后来的Opsware公司。假如当年我交由员工、投资人和客户对此事投票表决，那他们肯定会以压倒性的优势让我的转让计划泡汤。

作为CEO，你不可能有充足的时间搜集所有的信息，然后再做决定。每一个寻常的日子里，你都得做出大大小小上百个决定，不可能为了对某一个决定进行最全面的资料搜集和最详尽的分析，你就停下所有的工作。明确了这一点，你就应该用心在日常工作中持续且系统地搜集信息，以便在决策时刻来临时有备而战。

要想做好准备工作，你必须系统地获取多方面知识，以便在制定决策时派上用场。你可以从这类问题入手：

• 竞争对手可能会有什么动作？

- 怎样做才具备技术上的可行性，什么时间做才合适？
- 公司的实力究竟怎样？如何才能将实力发挥到极致？
- 这样做会带来怎样的财务风险？
- 这个问题会对目前的产品结构带来怎样的影响？
- 员工对此次促销的态度是兴奋还是沮丧？

优秀的CEO会通过巧妙的策略来搜集必要信息。他们会把对信息的捕捉渗透在每一项日常工作中，比如员工会议、客户会议，甚至是“一对一”的会谈。正是在与员工、客户、合作伙伴以及投资人的每一次交流中，CEO掌握了有助于他实施决胜策略的最全面的信息。

CEO是否能让公司按他的意愿行事？

如果CEO勾画出了令人向往的公司发展前景，并且能快速做出高质量的决策，那他是否能让公司上下照他的意愿行事？要做到这一点，第一个要素就是我在前文中提到的领导才能。

除此之外，CEO还要掌握丰富的运作技巧，才能确保决策得以顺利执行。公司规模越大，所需要的管理技巧就越复杂，越精妙。

公司能够执行你的各项决定和措施的必要前提是：

- 公司有能力这样做。也就是说，公司的相应岗位上有这样的人才，能够担此重任。

• 公司里所有员工都能正常履行职责。员工的工作积极性高涨，沟通渠道顺畅，知识储备丰富，工作环境清明。

CEO带领的是世界一流的团队吗？

CEO既负责组建管理团队，又负责掌控所有员工的面试和招聘环节。他必须确保公司网罗到最优秀的人才，继而从中甄选出天赋与能力俱佳的候选人。确保员工队伍的品质是管理公司的关键。优秀的CEO会经常通过评估来确保这支队伍的素质。

CEO的能力决定员工队伍的品质。务必要强调的一点是，员工队伍的品质直接关系到在面对挑战时，这支队伍能否及时按照公司的相应需求去应对。因此，以下这种情况极有可能出现：管理团队变动了好几次，而员工队伍始终在高质量地执行决策，且人员流失率几乎为零。

员工为公司做贡献的难度有多大？

第二个评判标准可以衡量CEO能否有效地管理公司。为了验证这一点，我喜欢问这个问题：员工完成这一工作的难度有多大？

在管理得当的机构中，人们会把焦点放在工作本身（而不是企业政治或是官僚作风），并且坚信顺利完成工作对于公司和他们本人都有益处。相反，在管理不善的机构里，人们会花大量精力去应付部门矛盾和流程缺陷。

说起来容易，但是真正要建立一个运转良好的公司则需要有相当高超的技巧。这些技巧涵盖组织设计、绩效管理等方面，还涉及推动员工发展的奖励机制和沟通机制。当某个CEO达不到能力标准时，他往往是在这个方面出了问题。事实上，很少有CEO在这个衡量标准上得到高分。

在线影片租赁公司Netflix的CEO里德·哈斯汀斯在设计一个驱动员工效能最大化的系统上做出了了不起的尝试。他将这套系统称为“关于我们的自由与责任文化的参考指南”。其中包含了Netflix公司界定的员工优秀品质、如何在面试环节甄别出这些品质、如何巩固这些品质，以及如何在员工数量日益增长的同时升级这套系统。

CEO是否能就既定的目标取得理想的结果？

基于目标衡量业绩时，我们首先要确保目标的正确性。在董事会游刃有余的CEO们，往往能够通过人为降低目标而取得“成功”。而那些优秀的CEO们却因为忽略董事会，将目标设定得过高，进而遭遇“失败”。一家公司在发展之初，没人能预测机遇的大小，因此制定的目标往往会产生误导性。所以说，准确衡量业绩的前提条件就是制订正确的目标。

我还经常提醒自己，对于不同的公司，机遇的大小和种类会千差万别。希望一家生产硬件的公司和用户导向型的互联网公司同样采用“轻资产”的发展模式，这样的想法不仅毫无意义，而且还会带来负面效应。衡量CEO的业绩时应该以他所在的公司——而非其他公司——的发展机遇为基础。下面，我和大家分享一个讲述CEO在真实环境下根据结果提交业绩的故事。这则故事的主人公是百度——中国最大的搜索引擎公司——CEO李彦宏。在2009年于斯坦福大学所做的演讲中，李彦宏回忆起百度上市时的感受。企业上市通常是一个企业家一生中最兴奋的时刻，而他却坐在桌边诚惶诚恐。为什么会这样？来听听他自己是怎么说的。

> 2004年，我们从Draper Fisher Jurvetson和谷歌等公司那里融到了最后一笔风险投资，后者是我们的同行。2005年，公司上市。理想的开盘价格是每股27美元，结果却报收每股122美元。这对百度员工和投资者来说都是特大利好消息。然而，我的感觉却是苦涩，因为在决定让公司上市时，我预期的股价是27美元，或者更高一点，30~40美元。当股价在第一天达到每股122美元时，我真的惊呆了。这意味着我的实际业绩必须大大高出预期业绩。我别无选择，只好埋头于运营、专注于技术和用户体验，最后，我终于交差了。

一旦将以上这些全部纳入考量范畴，我们就会发现，基于目标取得的业绩（或者说“功能型的业绩”）其实是一个滞后的指标。正如他们在共用基金的章程上所说的，“过去的表现无法保证将来的结果”。而CEO的结构型评价标准——CEO是否知道该做什么以及CEO能否让公司去执行他的意愿——将会在预测未来方面大显身手。

小结

CEO的评估不是复杂、诡秘、难以言说的艺术。所有人，包括CEO们，在预先得知结果的情况下都会取得更好的成绩。

第八章　创业头条法则：没有法则

这些事都打不倒我，

只会让我更坚强。

我想让你快些来，

因为我不能再等待。

我知道现在要做出正确选择，

因为我不能再错下去。

我已等待一整夜，

为你等待一整夜。

—— 美国饶舌歌手、唱片制作人坎耶 · 维斯特《更强大》

我们在与惠普协商Opsware公司转让一事时，他们的最初收购价是每股14美元。BMC（美国一家企业管理软件提供商）以14.05美元的价格做出回应，参与收购。紧接着，惠普又将报价提高至14.25

美元。我和约翰·奥法雷尔对这一轮招标自有打算。按照估计，如果我们能顺利实施计划，那么最终的成交价应该能达到每股15美元，甚至更高。大家对这样的预期无不喜出望外。

然而，灾难降临了。说得更具体一点，我们聘请的审计公司——安永国际会计公司——几乎毁掉了这笔买卖。

BMC在审计过程中发现，我们有三笔账户交易和他们的审计结果不符。这三笔交易都包含CA条款。CA条款为业内人士所熟知，得名于一家声名狼藉的公司——团结电脑公司，简称CA。该公司曾经在与客户签订的维修合同中耍手段，承诺对方可永久对"X"产品进行免费更新。之后，CA公司把"X"产品改头换面，替换成"Y"产品，再向顾客收取他们以为可以不再付费的软件更新费用。这种把戏相当精明，也相当龌龊。为了捍卫自身的权益，聪明的消费者要求所有的软件供应商今后都将CA条款写进合约中。合约明确规定，如果供应商发行的新版软件中包含了所有旧版软件的功能，只是在此基础上添加了新的卖点，换了新的名称，那么该产品（虽然换了名字）仍然受现有合约的保护，不再向顾客收取额外的更新费用。

对CA条款的解释存在两种可能性。一种是按照它的本意去解释，将其看作是对CA公司不端商业行为的回应；而另一种则是把它看作对产品功能的一种预期。如果你选前者，那就有必要提前确认营业收益；如果你选后者，那就应该明确合同期内营业收益的按比例分摊。无论你选哪一种，现金支付的情况都是一样的。

我们当初签下这三笔含有CA条款的合约时，对它模棱两可的特性是清楚的。因此，我们要求戴夫 · 普赖斯——我们在安永国际会计公司的合作伙伴——审计所有细节并告知我们该如何解释这项条款。戴夫明白我们的意图，建议我们在这三笔交易中全部选择提前确认营业收益。然而，BMC在安永的合作伙伴得出的审计结果却截然相反，他们认为应该按比例分摊。震惊之余，BMC的这位合作伙伴将该问题提交到了安永国际会计公司的总部。

总部的审计师通过电话告知我，他不同意上述审计结果，责令我们在48小时之内重新申明收益预期。我当时简直不敢相信自己的耳朵。重申收益不仅会压低股价，而且还会毁掉我们正在进行的交易。财务核算没有对现金流产生实际影响，并且我们所做的一切都是基于安永国际会计公司当初的审计结果。假如一开始他们能给出相反的结论，股价就不会下跌。重申收益无疑会让我们走投无路。

这究竟是怎么回事？

我尽量平静下来，小心翼翼地在电话中答道：

“财务核算的初衷是反映合约中我们与客户双方的意图，对吗？”

“对。”

“既然如此，为什么不能通过电话问问这三家客户的意图？如果他们的意图与戴夫 · 普赖斯得出的结论一致，那就保持原样。如果不一致，我们再重申收益。”

“不，那还不够。你必须让三家客户使用安永国际会计公司的解释条款去修改他们手中的合约。”

“但这三家客户都是大银行，本身就设有风险管理部，不可能在短时间内修改合约。而且，我们目前正在洽谈一笔价值16亿美元的交易，你们这样做会毁了这笔交易的。”

“我们管不着，这是你们的事。”

“可是，我们公司与你们合作已经8年了，付给你们的费用也有几百万美元，而且这一切都是你们的合伙人造成的。假如我们和客户就现有合约的解释能达成口头一致，为什么你还要害我们丢掉这笔买卖？”

“给你们48小时，要么修改合约，要么重申收益。”

戴夫·普赖斯快要哭出来了。

安永国际会计公司总部只关心书面文字，丝毫没有法律精神。他们拒绝做从审计角度和生意角度来讲完全正确的事，一心只想着自己的便利。

我的财务总监戴夫·康特已经面无血色。几百人奋斗8年走到今天，可所有的努力和付出眼看着就要被戴夫亲自挑选的审计公司像抽水马桶一样冲刷一空。在加入Opsware公司之前，戴夫曾在安永国际会计公司供职15年。平时能言善辩的他，此刻几乎说不出话来。我冲所有人大发雷霆，但心里很清楚，无论我说什么都于事无补，只会让戴夫更自责。我转向我的总顾问乔丹·布雷斯洛，问道：“我们需要立刻向收购方说明这个问题吗？”他惴惴不安地答道：“是的。”

我们向惠普和BMC说明了情况，并告诉它们，我们打算在24小时内通过修改合约的途径来解决这个麻烦。没有一方相信我们。就连我自己都半信半疑。怎么可能说服三家大型银行在一天内修改完手头的合约呢？惠普和BMC这两个买家作壁上观，准备根据事态的发展随时调整其收购计划和报价。

与此同时，我和戴夫、马克·克兰尼开始投入紧张的工作。在财务会议室里，我们开始勾勒关系图，在所有认识的人之间寻找关联，试图找到合适的人选来挽救这笔交易。我给每一位董事会成员打电话，了解他们是否在这三家银行里有存款，是否能和关键人物说得上话。克兰尼与销售部和财务部的人员一直守候在电话机旁。乔丹和戴夫则草拟出了10种修正合约的措辞。我们熬了一个通宵，戴夫自始至终都是一副心脏病即将发作的样子。第二天上午11点，奇迹出现了。三家银行都为我们修改了合约，所花时间还不足24小时。我们不用重申收益了。

意料之中的是，BMC因为这次事件受了点惊吓，余悸未平，放弃了收购。惠普没有打退堂鼓，却因为这个“污点”把报价降到了每股13.75美元。

那天晚上，我们在公司办公室召开了董事会，讨论惠普的收购条件，并宣布BMC退出收购。大家一致认为应该接受惠普的收购价，只有我一个人反对。我坚持以他们先前提出的14.25美元出售Opsware公司，少一分钱都不行。比尔·坎贝尔看着我，那样子就像在看一个久经沙场的将军。我一天一夜没睡觉，不知道自己的意识是否清晰，决定是否正确，我只知道，我辛苦等待一整晚是为了到达正确的彼岸，而不是在岔路上越走越远。

我整理了一下思路，重申了我的立场："惠普曾经提出了14.25美元的收购价，原因只有一个：我们是最棒的，我们代表着业界的最高标准。这才是整件事情最重要的前提。一旦我们接受现在这个打了折扣的报价，就等于承认我们不代表最高标准，那买卖还是做不成。"约翰·奥法雷尔赞许地点点头。最后，董事会忐忑不安地接受了我的意见。

我告诉惠普公司，必须以14.25美元收购Opsware公司，否则免谈。两个小时后，对方答应了。这期间，戴夫·康特的脸色一直都没有缓过来。我们做成了这笔交易，如果不是安永国际会计公司背后拆台的行为，我们本可以多赚一个亿。直至今日，我都对安永国际会计公司耿耿于怀。

讲述这段经历是想提醒大家，当你以为在生意场上可以信赖别人时，结局往往令你大失所望。出现这种情况时，一味地计较谁是谁非毫无意义。你需要做的，就是打起精神去应对那些危机。

解决问责与创意之间的矛盾

一位软件工程师在现有产品架构中发现了会严重削弱产品功能的漏洞。他说，自己可以在三个月内完成对这一漏洞的修复。每个人都认为，用三个月的时间来完成一次漏洞修复完全可以接受。可结果是，虽然他的建议是正确的，但整个过程持续了 9 个月。这时，你会奖励他的大胆创新呢，还是追究他未能按期完工的责任？

如果你像控方律师一样，严格按照合同条款的规定对他提起诉讼，那肯定会打击他和所有人的积极性，使大家以后不敢再做任何担风险的事情。假如你立场坚定地要处罚他，那就别怪以后有人拿“忙不过来”这样的借口来搪塞你，不帮你解决棘手的问题。

换一种做法，如果你不追究他未能按期完工的责任，那些能保质保量按时交付任务的员工就会觉得自己像个傻瓜。既然总裁可以奖励那个延期 6 个月才完工的家伙，我为什么还要加班加点地赶在最后期限前完工？如果你手下那些最勤勉、最具生产力的员工觉得自己被愚弄了，罪魁祸首就是你，因为你没能让别人对自己的行为负责。这就是所谓的问责与创意之间的矛盾。

想要解决这个矛盾，让我们先来做一个最基本的推论。你是否觉得自己的员工总体上具备智慧、创造力以及工作热情？还是觉得他们既懒惰又奸猾，天天无所事事？如果你的推论是后者，那不妨放弃在你的公司搞创新的想法，因为你根本无法做到。如果你持前一种看法，相信自己的员工有能力、有活力，并且事实证明的确如此，那自然再好不过。可是，你必须问责到位，否则就会背上愚弄他人的嫌疑。对此，你怎么看？

我们从以下几个方面来分析一下问责制：努力程度，承诺，结果。

努力程度

这是比较容易考量的一个因素。要成为世界一流的大公司，一流的工作态度必不可少。假如有人在工作中敷衍了事，不尽最大努力，那就必须要受到处罚。

承诺

许多经营得当的公司都会有这样一些管理宗旨：勇于承诺，兑现承诺。诚然，如果你参与了某项任务但又没有按要求完成，你会让每个人都大失所望，而这种失望情绪是极具传染性的。要求人们对承诺负责任，这是确保工作顺利完成的一个重要因素。兑现承诺的难度系数有高有低，因此问责的程度也会有相应变化。写一份市场宣传资料或是发一封电子邮件与完成一个软件项目绝不是一码事。如果谁完不成前面这项任务，你必须严肃处理。而后者则可能涉及计算机科学中的根本性问题，情况要复杂得多，因此你必须审慎对待。

结果

根据结果确定问责程度是一个比较复杂的问题。如果有人像开篇故事里那样没有按期交工，你是否应该追究他的责任？答案是，不一定。你得根据以下几条标准来做决定：

- **员工的资历**。和年轻员工比起来，老员工能更准确地预测未来的工作结果。
- **任务的难度**。有些任务确实难度很大。当你的产品在竞争中技不如人时，当经济衰退无孔不入时，你会发现，想把产品销量提升上去简直比登天还难。当你想搭建一个平台，使其能自动高效地执行串行程序和并行程序，以便最终实现扩展程序时，你也会发现这其实很难。我们很难对未来做出准确的预期，并且很难达到这个预期。所以，在判断结果是否达到预期时，你务必要考虑任务难度这个因素。
- **是否存在不必要的风险**。尽管你不想因为人们甘冒风险、大胆创新而去责罚他们，但也要记住，并非所有的风险都是必要的。

虽说不入虎穴焉得虎子，但有时深入虎穴也不一定能捉到虎子。喝下一整瓶杰克 · 丹尼酒然后跟在汽车后面跑，这算得上是勇气可嘉，但就算你追上了汽车，也得不到什么奖励。当你的员工没能实现承诺时，想想看，他是只有匹夫之勇而不考虑后果呢，还是想法一流而只是没能成功？

回过头来看问题

现在，我们回过头来看看开篇提到的那个问题，考虑下面这几个因素：

1. 他是资深员工吗？如果他是你公司的总设计师，那你就得让他好好提高一下自己规划工作的能力，以免拖累公司。如果他入行时间不久，那就该借此机会好好点拨点拨他，而不是一味地指责他。

2. 任务的难度如何？如果是一次足以改天换地、创造奇迹的任务，你就不能大发雷霆，相反，你得感谢他。如果仅仅是一个拖沓了太长时间的小项目，你就得认真解决。

3. 这是一次正确的大胆尝试吗？新产品是否能在中短期占领市场？如果是，无论他是用了 3 个月还是 9 个月，这都是一次正确的尝试。今后再遇到类似情况时，你也应该持这个态度，而不必绞尽脑汁苦苦思索。

小结

在高科技产业中，你很难未卜先知。平庸与杰出之间的差距往往就源于你的态度，源于你是否放手让员工大胆创新，不折不扣地实行问责制。责任固然重要，但也并不是唯一的重点。

“怪诞星期五”管理策略

多年前，我曾陷入一次棘手的管理困境。公司里两个非常优秀的团队——客户支持部与销售技术部——针尖对麦芒地掐起架来。技术部提出了一系列措辞犀利的指控，谴责客户部人员不及时配合他们的工作，还拒绝修复产品存在的问题，已经严重阻碍了销售，影响到了客户满意度。与此同时，客户部也抱怨说，技术部未经授权就安装木马程序，不听从他们的有效修改建议，还大惊小怪地把每件事都当成头等大事去对待。除了这些具体矛盾外，这两个部门本来就积怨甚深。最糟糕的是，这两个部门得经常合作完成公司的任务。两支队伍都配有最出色的工作人员和最有能力的负责人，所以不可能解雇任何人或者降任何人的职。我实在是没辙了。

就在那时，我碰巧看到了一部经典影片《怪诞星期五》，现在想想，那好似上天的安排。这部影片的主演是演技出众的巴巴拉·哈里斯和无人能比的朱迪·福斯特（还有一部翻拍版，主演是杰米·李·柯蒂斯和问题才女林赛·洛汉）。影片中，母亲和女儿由于缺乏沟通而关系紧张，因此，她们希望能通过互换身份来增进对彼此的了解。在电影的奇幻世界中，她们实现了这个愿望。

随着故事情节的发展，她们交换了身体，体验到了对方所看到的世界。最后，母女二人换回各自的原形，自此变成了知心朋友。在看过这部影片的两个版本之后，我觉得自己已经找到了对策，那就是，“怪诞星期五”管理策略。

次日，我通知技术部和客户部的主管，要给他们二人调换工作岗位。我对他们解释说，你们可以像影片中的朱迪·福斯特和巴巴拉·哈里斯一样，调换身体，但是要永久保留原有的思想。二人最初的反应不亚于翻拍版中林赛·洛汉和杰米·李·柯蒂斯一起尖叫时的惊恐模样。

然而，在对调的岗位上仅仅工作了一周，这两位主管就发现了矛盾的症结所在。接着，他们快速行动了起来，采取简单的工作流程，消除了冲突，彼此和谐共事。自那天起，一直到公司被转让，销售技术部与客户支持部始终都是公司里合作最好的一组搭档，这多亏了《怪诞星期五》——这部也许是有史以来最有寓意的管理学经典电影。

如何打造一流的管理团队？

作为CEO，你应该清楚一点：没有一流的团队，就无法创建一流的公司。但怎样才能知道你手下的管理人员是不是达到了这个标准呢？另外，即使他在被你雇用的那一刻达到了世界一流的标准，他是否能继续保持这个标准？如果不能，他有没有可能重新达到这个标准？

这些复杂的问题会让招贤纳士的过程变得更加麻烦。每一位CEO的初衷都是寻觅到最优秀的人才，然后不遗余力地积极争取他们的加入。如果对方同意了，CEO会如获至宝。

所以说，我们很容易先入为主地判断一个人，哪怕他连一天的班都没有上，我们还是会觉得他是最棒的，就因为他是我们精挑细选招聘到的人。可惜的是，那些被当作宝贝一样吸纳进公司的管理人员，会离你的期望值渐行渐远。假如你是个体育迷，你一定清楚，没有永远的世界冠军。今天你是球星特雷尔 · 欧文斯，明天你就是普通人特雷尔 · 欧文斯。尽管管理人员的职业生涯不像运动员的职业生涯那么短暂，但是公司、市场还有高科技的发展变化之快是体育运动所无法比拟的。因此，本年度在初创业的公司里春风得意的管理人才，很可能在下一年度就面临被淘汰的危险，因为最初的小公司已经成长为拥有400名员工、年收益达到1亿美元的大型公司。

标准

你需要明确的第一个问题是，某些人精彩的履历和出色的面试表现并不意味着他能在你的公司做出极佳的业绩。这个世界奉行两种评价标准，一是根据你的表现，二是根据你的身份。你可以选择前者，也可以选择后者。

你必须以高标准要求员工，但是何谓高标准？我在前文已谈过这个问题，在此不再赘述。此外，请谨记以下几点：

- **在雇用某个人时，你并不了解他的全部。**虽然这会让你觉得有些尴尬，但是为适应市场需求和激烈竞争，调整并提高你对他的要求是完全合乎情理的。
- **学会平衡。**在一开始花费大量的时间来指导一个副手很正常。但是，如果你发现自己还和聘请或提拔这个副手之前一样忙碌，那就说明他的工作不称职。
- **你是CEO，不负责培养人才。**我从CEO生涯中总结出的最令我沮丧的教训就是，我不可以做副手们的辅导员。他们所在的

> 工作岗位要求他们基本上能独当一面。和我以前做总经理时不一样的是，我现在没有时间去从头培养一个副手。对于公司中的其他岗位来说，手把手地传授经验是可行且必要的，但对于管理层人员却并非如此。如果你的副手总是需要太多的指导和培养，他就是不合格的。

当然，有时CEO们的衡量标准会过分苛刻。正如我在前文中提到的，你不能也不必拿某个管理人员两年后的工作要求来衡量他现在的能力。如果你有这种倾向，那务必要回避。一定要以当下的情况来衡量他的表现。

关于期望值和忠诚度

假如你的管理人员表现出众而且对公司忠心耿耿，你该怎么和他沟通这些问题？如何告诉他虽然他现在干得不错，但如果明年跟不上公司的发展变化，你就有可能解雇他？

过去，我在点评管理人员的工作时，总是会说："你在目前这个岗位上干得很好，但是根据公司的发展规划，我们的员工数量到明年会增加一倍。因此，到时你的工作会有所不同，而我也会根据新的标准来重新评估你的表现。如果你觉得这办法不错，那就推广至每一个团队成员，也包括我。"

在提出这样的思路导向时，务必要向管理人员说明一点，公司在扩大规模之后，他将接手的是一份全新的工作。这意味着，在旧岗位上实现的辉煌不一定能直接转换为新岗位上的成就。事实上，人们往往难以胜任新工作，原因就是他们延续了过去的工作方式，没能及时调整到新的状态中来。

但是，忠诚度的问题怎么解决？如果你是在现有管理团队的协助下让公司的规模扩大了10倍，你又怎么能因为他们跟不上这个大型团队的发展速度而开除他们？答案是，你得把你的员工放在第一位——那些管理人员手下的普通员工，那些从事基本工作的工程师、营销人员、销售人员、财务人员，以及人力资源部员工。你应该为他们搭建一支世界一流的管理团队，这才是头等大事。

该不该转让公司?

该不该转让公司，这无疑是CEO所做的最艰难的决定之一。从常理上来看，转让公司还是继续独立经营公司涉及诸多因素，而大部分都是些无法预知的因素。假如你是公司创始人，基于理性做出决断并不难。

没错，只要不涉及感情，这个问题就简单得多。只可惜，转让公司往往是一项掺杂了太多情感和个人因素的行为。

转让类型

为便于讨论，我在此先介绍一下转让技术型公司的三种方式：

1. 人才和/或技术。这是指单纯转让某一公司的技术和/或人才。这种类型的转让价格为500~5 000美元。

2. 产品。只转让某公司的产品，不转让业务。收购方会结合自身的营销能力销售现有产品。这种类型的转让价格为2 500万~2.5亿美元。

3. 业务。转让公司的主营业务。收购方会全方位衡量对方公司的价值，包括产品、销量和营销，而不仅仅看人员和技术。这种类型的转让通常以财务指标为主要依据，成交价有可能令人咂舌（比如微软出价300亿美元收购雅虎）。

我在这里要讨论的主要是第三类：业务转让。此外，也涉及一些产品转让的问题。

理智

在分析是否该转让公司这个问题时，你最好先问问自己：

1. 我是否在一个很大的市场中抢占了先机？

2. 我是否有把握成为这个市场中的头号种子选手？

如果你抢占了先机，那就继续独自经营。没人有实力买下你的公司，因为没人能预支给你如此庞大的一笔数额。以谷歌公司为例，据说在创业初期，谷歌就收到过多家公司的收购邀请，出价超过10亿美元。这在当时是非常优厚的条件。然而，鉴于最终的市场规模，转让公司对谷歌来说毫无意义。事实上，谷歌无论以任何价格转让给任何有意收购的公司，都没有什么意义。为什么？因为谷歌拓展的市场远远大于所有潜在收购方所占有的市场总额，它开创的业务无人能及，因此也就使它稳稳地占据了业内的龙头地位。

再想想与此相反的一个例子，Pointcast。Pointcast公司是第一波引发互联网应用程序风潮的公司之一。在硅谷和高科技行业，它算得上是一家热门公司。Pointcast曾经拒绝过10亿美元的收购条件，后来，由于其产品架构中的缺陷，客户停用了产品。公司在一夜之间元气大伤，再也没能崛起。最后，Pointcast以低价被转让。

因此，你务必要弄清：1.如今占领的市场是否比以往任何时候都要大得多？2.我们能做第一吗？如果有一个问题的答案是否定的，那你就得考虑转让公司了。假如两个问题的答案都是肯定的，那么转让公司就等于是把你和你的员工给低价出售了。

可惜的是，这两个问题并不容易回答。想要给出正确的答案，你还得考虑以下这些问题：市场是什么？竞争对手会发展成什么样？谷歌占领的是搜索引擎市场还是门户网站市场？现在回想起来，谷歌主要是占领了搜索引擎市场，但是大部分人觉得它是一个门户网站。雅虎当时是它在门户网站市场的一个劲敌，但在搜索引擎领域，雅虎对其并不构成威胁。如果谷歌当时真的主营门户网站，那么转让出去也不失为上策。Pointcast的陨落就是因为高估了自己的市场占有率。有趣的是，导致Pointcast走下坡路的恰恰是它自己在产品执行中出现的纰漏。

下面来说说Opsware公司。为什么我要卖掉它？为什么我拖到那个时候才卖掉它？

经营Opsware公司时，我们最初涉足的是服务器自动化领域。在接到第一轮询价和发盘时，我们的客户数量不足50名。当时，我坚信至少能发展10 000名目标客户，相信我们完全有能力做到最好。

此外，虽然我知道市场格局日新月异，但依然认为我们可以赶在别人前面进军网络和存储（数据中心自动化）市场，然后将其一举拿下。因此，按照30%的市场占有率来估计，如果有人想要买下我的公司，那就必须以我们当时市值60倍的价格来收购。果然，没人愿意出这个高价。

当我们逐渐拥有数百名客户，并且也成功地进军到服务器自动化领域时，我们依然是业内的老大，身价比先前的收购成交价还要高。那时，Opsware公司与主要竞争对手BladeLogic公司都已经羽翼渐丰（具有遍布全球的销售网络、外包式的专业服务等）。这一点很重要，它意味着某家大型公司可以从我们当中挑选一家进行收购，并且有可能顺利地使之运转起来。（大型企业不一定能操纵得了小公司，因为小公司知识产权中的重头戏就是销售方法，而这是大型企业所缺乏的。）

随着态势的明朗，BMC成为这个要做“二选一”选择题的企业。因此，Opsware公司是否能在未来继续担当业内老大这道题就得重新做一遍了，方法如下：

1. 我们的优势将体现在系统和网络管理领域，而不是服务器自动化领域。因为后者和文字处理软件一样，最终也将被一个更大的市场所兼容。

2. 要想成为最好的，我们就得将BMC和BladeLogic一起打败，因为BMC是比我们这两家小公司都要强劲得多的对手。

最终，由于出现了根本性的技术变革——虚拟化，市场也发生了改变。虚拟化意味着整个市场要重新进行调整，于是我们又投入到新一轮的研发竞争中，以期能建构最优秀的管理模式，适应虚拟化环境。这就使得转让公司的计划被搁置了很长一段时间。

综合以上因素，我们认为，至少可以考虑一下转让公司的可能性，并且启动一个短期计划，以掌握并购市场中的各方利益。

在此过程中，有 11 家公司提出了各自的收购意向。这让我意识到，就Opsware公司的市场价格而言，我们已经达到了局部最大值。也就是说，这些潜在的买家们对Opsware公司的市场价值深信不疑，而我们也认定，公司在未来不可能再有更大的收益。在进行了大量的深入分析和自我反思之后，我的最终结论是，目前的这个最大值高于我们公司在未来 3~5 年有望实现的收益，因此，我以 16.5 亿美元的价格将公司转让给了惠普。我认为并且也希望这是一个正确的决定。

情感

在做这样的决定时，情感因素是相当可笑的一个部分，因为它会让你陷入人格分裂的窘境。

在亲自招募到每一位员工，让每一位员工甘愿为你创办兴旺发达、独立自主的企业这一宏伟目标努力奋斗时，你怎么能将公司转让出去？怎么能将自己的梦想转让出去？

你怎么能让自己和无论亲疏远近的家人结束这种财政上完全独立的生活？做生意难道不就是为了赚钱吗？赚多少钱才算够？

你怎样才能调和这两种声音：留下？转让？很显然，你没法调和这二者，唯一的办法就是给这两种声音都装上消音器，要领如下：

- **给CEO付工资。**大部分风投资本家都喜欢那些把全部身家都投在公司的老板，一旦公司倒闭，他就输得分文不剩。因此，他们认为，CEO应该只拿极低的薪水。总的说来，这是个不错的想法，因为当公司不景气时，CEO们很容易想丢掉包袱，投入的全部家产会迫使他们继续坚持。然而，在现实情况中，公司一旦成立，给CEO支付工资就是比较合理的做法。具体地说，一旦公司有了自己的业务，并且成为具备吸引力的收购对象，那就应该给CEO支付工资，这可以保证“留下或转让”这个决定不会直接受CEO个人财务状况的影响，就好比是：“我不认为应该转让公司，但是我现在和丈夫孩子住在850平米的公寓里，不转让，就只有离婚了。”
- **对公司前景思路清晰，态度明朗。**每一位CEO都会从员工那里听到这样的问题：你会转让公司吗？这是一个很难回答的问题。如果CEO说“会”，那么员工会理解为他要卖掉公司。如果CEO说“如果价格合适”，那么员工就会揣测这个价格，并且会问个没完。假如公司价值真的达到了这个价格，员工就会认为公司即将被转让。如果CEO闪烁其词，拿“不会转让公司”这样的话搪塞员工，一旦真的转让公司，员工就会觉得自己被愚弄了。更重要的是，CEO也会觉得他在糊弄员工，这种自责的感觉会在他的决策过程中挥之不去。为了避免这样的困境，你可以参照前一章中提到的分析原则：如果公司在一个很大的市场中占领了先机，并且极有可能成为同行业中的顶尖者，那么就让公司继续独立运作。若不是，就不妨转让。这条原则考虑的是投资人和员工双方面的利益。

小结

你很难轻而易举地在“留下”和“转让”这二者中做出选择。因此，让自己在理智和情感上做好准备是有必要的。

第九章 **是结束，也是开始**

我们走在同一条路上，穿的却是各自的鞋。

我们住在同一栋楼里，看到的却是不同的风景。

——德里克《云端之上》

转让Opsware公司之后的一年，我在惠普负责软件业务。之后，我对自己的未来有了进一步的思考：我该另起炉灶重新办一家公司吗？还是去其他公司任CEO？我该退休吗？还是该做些完全不同的事？

越是畅想未来，就越会回忆起自己的过去。假如我当初没有遇到比尔·坎贝尔，一切会怎样？我该如何化解一次又一次的危机？为什么企业家艺术如此深奥？是不是每个CEO都会遇到相同的问题？如果是，为什么没有人把这些问题记录下来？为什么新兴公司的顾问和风投资本家很少有亲自办公司的经验？

当这些问题一再萦绕于我的脑海时，我给马克 · 安德森发了一条信息："我们应该创办一家风险投资公司。选择合伙人的宗旨就定为'有经验者优先'，给那些打算创办公司的人提供咨询，你本身就得有经营公司的经验。"他的回答让我意外："我也有同感。"

一些必要的经验

在深入思考这个问题时，我回想起自己当年拿到的第一笔真正意义上的风险投资。

那是在 1999 年，在筹集到Loudcloud公司的第一轮资金后，我和我的联合创始人去拜访这家新的风投公司并会见他们的全体成员。我还记得，当时作为创始人兼CEO的我对于面见自己的大财神、共商大业兴奋不已。然而，对话气氛一度急转直下，他们的一位资深合伙人戴维 · 贝尔尼当着所有人的面问我："你打算什么时候聘请一位真正的CEO？"

这就像迎头泼来的一盆冷水。公司最大的投资人当着我搭档的面质疑我是个冒牌CEO。我反问道："您的意思是？"——希望他能修正自己的说法，好让我挽回一点儿面子。没想到他变本加厉："我的意思是，你该找一位曾经为大公司做过组织设计、人脉强大且有现成客户资源的人来做CEO。"

我羞愧难当，觉得快要喘不过气来了。他无视我的CEO身份就已经够糟的了，更糟的是，在某种程度上，我认同他的观点。他说的那些能力我都没有。在那之前，我从来都没有做过那些事，也不认识多少高管。我是白手起家打天下的CEO，不是职业CEO。我管理公司的时间短得可怜。我能足够快地掌握当CEO的技巧并且构建起自己的人际关系网络和客户网络吗？还是说我会把公司搞砸？这个疑问折磨了我好几个月。

第二年，不论干得好与不好，我依然在CEO的位子上坐着。我用常人难以想象的努力争取成为让大家都满意的CEO。多亏了这番努力以及朋友和顾问们的帮助，尤其是比尔·坎贝尔，公司终于坚持了下来，并且日益蓬勃地发展着。

这段经历已经过去很久，但是，我没有一天不去想那次和戴维·贝尔尼的对话。我总是扪心自问，究竟要怎样做才算进步？究竟怎样才能获得帮助以提高自己的能力、拓展自己的资源？

我与马克经常讨论这个问题。我们一直心有不甘，作为创始人兼CEO，为什么我们必须在投资人质疑的目光中向他们证明我们的实力，而不是让投资人相信我们有能力经营好自己一手创办的公司？实际上，这样的讨论最终促成了日后安德森·霍洛维茨风投公司的成立。

首先，我们在对风险投资这个行业进行研究时，偶然发现了一个潜在的问题。一直以来，赢利的风险投资都集中在极少数公司手中，而且始终是这几家公司。在有着800多家风投公司市场中，大约只有6家可以给他们的投资人带来高额的回报。随着调查的深入，我们发现了一个很有意思的原因：最好的企业家只选择最好的风投公司进行合作。由于风投公司不重视经营手段和经营理念（大部分公司几乎都不做公关宣传，也极少谈论其业务），所以只能让人根据其投资记录去进行选择。因此，有着最佳投资记录的公司就会良性循环，业绩越来越出色，没有业绩的新公司则逐渐被埋没。

我们必须得想出对策来打破这块坚冰，成为那些优秀企业家青睐的风投公司。但是，究竟该怎么做呢？

我们需要改变企业家选择风投公司时的衡量标准。时移世易，我们解决这个问题的机会来了。我和马克在20世纪90年代中期初涉企业时，并不认识太多的企业家。当时，我们没有真的把自己看成是一个行业或是社区中的一分子，仅仅是忙于干好自己的事。我们公司成立于互联网时代初期，比Facebook、Twitter，还有其他一些社交网站平台都要早。由于那时没有专供企业家交流的平台，所以我们也很少和其他企业家互通有无，基本都是埋头苦干。而这种局面在过去10年发生了变化，企业家们如今会相互结识、往来、聚会，进行各种各样的社交活动，已经形成了一个真正的社区。鉴于这一点，如果我们能提出更优厚的条件，那么在社交活动中实施的口头宣传策略就会发挥出它不曾具备的优势。

我们需要更上一层楼，也需要与众不同。在考虑如何才能具备更多的优点和特点时，我们的核心思想主要基于以下两点：第一，技术型创始人是经营技术型公司的最佳人选。那些令我们钦佩的历史悠久的技术型公司——惠普、英特尔、亚马逊、苹果、谷歌、Facebook——都曾由它们的创始人经营。更准确地说，公司是由开天辟地的那个人在经营。第二，技术性创始人创办公司后成为CEO的过程异常艰难，我就是个明证。但是，大多数风投公司往往都是以更换CEO来解决问题，而不是为其提供扶持，帮助创始人成长。

我和马克想，如果我们的风投公司专门以帮助技术型创始人经营公司为宗旨，那就可以树立品牌，创下口碑，即便没有以往的投资业绩，我们借此也有望一跃成为名列前茅的风投公司。根据研究，我们发现，创始人CEO与职业CEO相比主要存在两方面的不足：

1. 管理能力。员工管理、组织设计、销售安排等方面的能力都是创始人CEO所缺乏的。

2. 关系网络。职业CEO认识大批企业高管、潜在客户、合作伙伴、媒体人士、投资人士，还建立了其他一些重要的生意联系。而技术性创始人却只认识优秀的工程师，只知道如何编写程序。

我们考虑的下一个问题是，风投公司如何才能帮助创始人CEO弥补这些不足？

事实证明，弥补CEO管理能力的不足是一件相当困难的事。因为，要想当好CEO，唯一的办法就是亲身一试。诚然，我们可以纸上谈兵似的传授一些管理技巧，但是，关起门来学习如何做CEO就好比关起门来学习如何当好橄榄球比赛中的四分位球员一样。就算给你授课的人是佩顿·曼宁或者汤姆·布拉迪，如果没有实践经验，你一上场就会被淘汰。

虽然我们不可能给创始人兼CEO传授他所需要的所有技能，但我们完全可以为其提供指导，以加速他的学习过程。因此，我们选择投资合伙人的标准就是他们能够为那些艰难起步的创始人兼CEO提供有效的指导。（当然，并非所有的创始人都想做CEO。对于有些公司而言，聘请职业CEO来统领大局才是正确的选择。在这种情况下，我们的工作重点是帮助创始人来寻找合适的CEO，然后扶持他顺利接管公司，与创始人共谋大计。）正因如此，我们挑选的合伙人必须要有创办公司或者担当CEO的经验，他们的工作重心就是帮助创始人成长为优秀的CEO。我们认为，这个想法简单明了，肯定能行得通。

接下来，我们要考虑的就是如何使CEO关系网络系统化和专业化。为此，我们借鉴了我的朋友，同时也是Opsware董事会成员迈克尔·奥维兹的经验和意见。35年前，迈克尔创办了创新艺人经纪公司，一家重量级的好莱坞精英人才代理公司。创业之初，迈克尔的想法并不明朗。这个行业始于20世纪初期歌舞剧盛行的年代，在之后的70多年间未曾有过大的变化。当时的迈克尔还是威廉·莫里斯经纪公司——当时的行业巨头——一个初出茅庐的新人。在别人看来，放弃这样一份前程似锦的工作而去追逐遥不可及的梦想太不可理喻，但是迈克尔心里很清楚，如果他能够创办一家优秀的经纪公司，将全世界最出色的人才悉数揽来，他就有可能将行业的经营模式从以集团为核心转向以人才为核心，这才是他心目中正确的运作模式。

当年，经纪公司基本上是由隶属于公司的各个经纪人合并而成的松散机构。这些经纪人效力于同一家公司，但在很大程度上却各行其是，每个人都只负责与他们单线联系的部分艺人。比如说，经纪人A可能将达斯汀·霍夫曼介绍给华纳兄弟影业，经纪公司要想和达斯汀·霍夫曼或者华纳兄弟影业取得联系，都只能通过经纪人A。其他经纪人和客户之间也不可能自动建立联系。这种传统的运作模式听起来和以往的风投行业很相似，风投资本家服务于同一家公司，却掌握着各自的关系网络和客户资料。

迈克尔希望能打破这种格局，将经纪人各自独立的业务整合在一起，以使大家在这张纵横交错的关系网上尽可能多地为客户寻找机遇。这样一来，公司的业务能力将是单个经纪人业务能力的 100 倍。为了将这一想法付诸实践，迈克尔和他的联合创始人约定，他们在几年内将不拿薪水，把所有的佣金都用于打造迈克尔所谓的“特许经营权”上。特许经营权是指由专人负责每一个相关领域的关系网络和客户资料，包括出版业、国际交流领域和音乐领域等。他的想法奏效了。在不到 15 年的时间里，创新艺人经纪公司就代理了好莱坞 90% 的顶尖明星，并且成功地改写了行业规则，那就是：让艺人在寻找发展机遇时获得更多的选择权和更大的经济利益。

我们决定仿照创新艺人经纪公司的经营理念，事实上，安德森 · 霍洛维茨公司的员工与创新艺人经纪公司最初的员工一样，都被称作“合伙人”。迈克尔觉得这样的头衔恰如其分，但是别人可不这么想。他们都认为应该做出相应的改变：“这是硅谷，不是好莱坞。你们太不懂规矩了。”然而，在迈克尔的认可和热情支持下，我们坚持了自己的做法。考虑到风险投资的特点，我们决定构建如下这些网络：

- **大型公司**。每一家刚起步的公司都必须和大公司有业务往来，要么是买卖关系，要么是合作关系。

- **管理人员**。要想成功，管理人才必不可少。
- **技术人员**。在高科技行业，优秀的技术人才越多越好。
- **媒体人员和分析师**。我们公司有一句口头禅：会推销，有钱赚；羞答答，没饭吃。
- **投资人和收购方**。风投资本家的本职工作就是投资和融资。

一旦规划好公司的发展模式，下一步就该考虑如何让企业家们知道我们的与众不同之处。这似乎有些棘手，因为此前还从未有哪家大型风投公司做过这类市场宣传。我们觉得这背后一定有一个很重要的原因，只是百思不得其解。最后，还是迈克尔揭晓了答案。他发现，成立于20世纪四五十年代的那些最早的风投公司，都是参照早期投资银行的运作模式来经营的。这些银行不设公关部，因为它们都曾为战争时期的交战双方提供过资金援助，所以不适合做公开宣传。这个发现，加上我们想要与行业寡头对着干的本能，促成了安德森·霍洛维茨公司的成立。在给公司命名时，我们面临的最大难题就是，作为一家公司，我们一无所有。没有投资业绩，没有客户档案，什么都没有。好在人们还认识我们俩，尤其是熟悉马克。因此我建议，“与其凭空想一个名字，不如就利用你的名字怎么样？”马克觉得这个提议挺有道理，但是在输入网址时，人们不可能键入“Andreessen Horowitz”这些字母。过去，在能够实现国际化的编程语言问世之前，我们会借助老式计算机编程来对编码进行“国际化”加工。我们将国际化（即internationalization）简称为“I18N”，即英文单词的首尾字符加中间18个字符。因此，我们决定将公司的网址定名为“a16z”，即Andreessen Horowitz的首尾字符a和z，中间加16个字符。

我们聘请了由玛吉特·温玛切斯带领的Outcast营销公司，希望借助它来为公司造势。我们之所以打破了风投行业不做公关策划的惯例，是希望让大家多多了解我们公司的经营宗旨。玛吉特是个德国人，其父务农养猪，而她的才能却大大超出了一个养猪户的期望。头脑灵活、心思缜密的玛吉特算得上是公关业界的贝比鲁斯（美国棒球巨星）。她调动自己的关系网，帮助马克以山姆大叔般的形象登上了2009年《财富》杂志的封面。安德森·霍洛维茨公司就这样一炮打响，而在那时，公司还只有我和马克两个光杆司令。

经营Loudcloud公司和Opsware公司长达8年，我已经积累了很多难能可贵的经验，因此组建一支团队不在话下。我深知，用人标准应当“宁缺毋滥”，也懂得“适合”的重要性。这个世界上聪明人很多，但仅有聪明是远远不够的。我需要的人才，要能够在合适的岗位上发挥出他最大的优势，要能够安于岗位职责，并且还要能对自己肩负的使命深信不疑，那就是，将硅谷变成一个更有利于企业生存发展的地方。

斯科特·库珀是我们招来的第一个员工。当年他曾在Opsware公司担任财务主管，为我工作近8年。我不敢说他对那份工作是否满意，但他卓越的工作表现证明了一切。那段时间，他负责客户支持、计划制订还有技术操作，没有一样是他原本想要干的。他钟爱于三种任务：经营、策划、交易。如果给他安排这些事情，他就会乐此不疲。但是在Opsware公司，他只接触了两样自己钟情的工作。对他而言，不能做具体的业务是一种煎熬，就像是将困兽关入了笼中，而我用Opsware公司把他困了8年。因此，在筹划新公司时，我脑海中闪过的第一个念头就是：终于给库珀找到了一份合适的工作。我给他的职位是首席运营官。

在接下来完善员工队伍时，我们选择了Opsware公司曾经的销售主管马克·克兰尼，由他来负责搭建大公司关系网；香农·卡拉汉，曾任招聘部和人力资源部主管，负责搭建技术网络；玛吉特·温玛切斯，公关界的“全垒打之王”，负责搭建营销网络；杰夫·斯顿普，我所认识的最棒的猎头，负责搭建高管网络；弗兰克·陈，我以前的产品经营部主管，负责组建研究队伍。

事实证明，我们经营风投公司的理念与全世界最好的企业家的想法不谋而合。在短短的4年时间里，我们就由一个从零起步的小公司发展壮大为全球最有影响力的风投公司之一。

小结

> 我知道，你认为我过得好是因为我的珠宝个头大；
>
> 但其实，我是找到了宁静的生活。
>
> ——美国说唱歌手纳斯《一发而不可收》

我经常开玩笑说，人们总认为现在的我比过去当CEO的我要优秀得多。他们有时会称我是“管理大师”，但在执掌Opsware公司时，从来没人这样叫过我。费利西娅就常说："那时他们用各种各样的字眼来形容你，可就是没人说你像个大师。"

这究竟是为什么？是我变了还是人们的看法变了？

在过去那些年里，我学到了很多，这一点毫无疑问。想起当初创业时自己犯过的那些错，现在我依然会觉得尴尬。但是，我最终还是出色地驾驭了公司。这样说不是自夸，而是有着大量的确凿依据。我彻底改变了公司的发展路线——即便在它还是一家上市公司时，并且在5年内成功地将其市场价值从2.9亿美元提升到16.5亿美元。Opsware公司的大部分员工如今要么在安德森·霍洛维茨公司效力，要么加入了我们旗下的投资组合公司，这说明肯定是有某个因素让他们觉得在这里工作是愉快的。而且，公司最终以业内最高价被惠普收购，这进一步证明了我们是这个市场上的胜利者。

然而，在我将Opsware公司打理得风生水起的那段日子——从2003年到2007年，你从报刊、博客以及留言板上几乎看不到关于我的任何正面评价。那时，媒体声称公司要垮台，控股公司施压让我引咎辞职，大家都觉得我不行。

现在回想起来，人们之所以改变对我的看法，是因为看到了惠普的收购，读到了我写下的文字。在不做CEO的日子里，我获得了前所未有的自由。一个风投资本家可以想什么就说什么，不必顾虑他人的感受，而CEO就享受不到这份奢侈了。那时，我必须要照顾别人的情绪，尤其是不能在公开场合露怯示弱，因为这会辜负所有员工、高管以及上市公司控股人的期望。我必须要有百折不挠、勇往直前的信心。

开办安德森 · 霍洛维茨风险投资公司之后，一切束缚都离我远去了。诚然，我们依然得为员工负责，但是不必再面对因一朝成败就要寻死觅活的大股东们。更重要的是，我现在并不是公司的CEO，而是给那些有CEO的公司做投资，勇往直前的这副重担压在了他们的肩上。如今，我可以坦然表现我的弱点、我的恐惧，以及我的短处。我可以表达自己的真实想法，无须忌讳权利网格中某些对我有看法的人。在解决棘手的难题时，正是这些恐惧以及招人非议的观点，帮助我寻找到问题的答案。难题之所以棘手，是因为你找不出便捷的方法去解决它，是因为你的理智和情感难以融合，是因为你不知道答案而又不能寻求帮助，因为求助于人意味着你的无能。

在最初管理公司的日子里，我以为自己是唯一一个举步维艰的CEO。因为不论我什么时候看见其他CEO，他们都是一副胸有成竹的样子。聊起天时，他们总是会说自己的生意“好极了”，自己的阅历“精彩极了”。但是，在亲眼目睹这些“好极了”、“棒极了”的企业纷纷破产倒闭或者低价转让之后，我才意识到自己也许并不孤单。

在进行深入思考时，我发现接纳自己不同寻常的背景才是解决这个问题的关键。正是那些经历——那些只有我才有的经历——赋予我与众不同的视角和行事方式。奇科 · 蒙多萨那出人意料却又充满诗意的处事风格帮助我提升团队的凝聚力；对各色人等的深入了解帮助我将贾森 · 罗森塔尔和安东尼 · 赖特联合在一起，拯救公司。在我祖父的墓碑上，刻着他最喜欢的一句马克思的名言：生命即挣扎。我认为，这句话里饱含着一个企业家最需要明白的道理：接纳挣扎。

在与企业家们合作的今天，我总是着力宣传这个理念。接纳你的不同，接纳你的背景，接纳你的直觉。如果奥妙不在其中，那就说明没有奥妙。我能够见证他们所经历的艰难，却无法提供具体的对策。我能做的，就是帮助他们从自己心中、从自己身上寻找答案。有些时候，他们比我更能从纷乱中找到宁静。

当然，这世上的艰难坎坷无处不在，肺腑之言或者前车之鉴也因此难以穷尽。最后，我想祝福所有为梦想而挣扎的人们，祝你们平安、顺利。

附　录

企业销售主管衡量标准

他够聪明吗？

- 他能有效地说服你倾向于他所效力的公司吗？
- 就公司发展和市场机遇问题，他能否清晰地表达自己的思路？
- 他能否为公司的战略发展献计献策？

他知道如何挑选销售人员吗？

- 他的阅历如何？
- 请他描述最近一次不成功的招聘。
- 他如何招到顶尖人才？
- 面试过程中，他是如何甄别该人员是否具备合格特质的？
- 他的下属中有多少人愿意继续跟着他干？可否举例为证？
- 他的面试容易通过吗？
- 他知道如何招募销售经理吗？
- 他能描述岗位职责吗？

- 他会进行技能测试吗?

他对于销售流程是否有系统、全局的思考?

- 他了解公司的业务吗?了解技术型公司的销售流程吗?
- 他知道何为基准测试、锁定文档、概念证明(POC)以及原型吗?
- 他知道该如何培训才能提高员工的销售能力吗?
- 他有强制执行这个流程的能力吗?
- 就下属对客户关系管理工具的使用,他有怎样的要求?
- 他在以前的公司亲自负责销售流程吗?还是仅仅设计了销售流程?

制订计划和执行计划是两个完全不同的概念。

他的销售培训项目开展得如何?

- 关于流程和产品的培训分别占多大比例?他能否详细地加以说明?
- 有培训教材吗?
- 他的销售代表评价模型是否有效?
- 是否不仅限于基本能力培训?
- 他能就业务代表和企业代表之间的差异给你提供有益的解释吗?

他了解薪酬计划的来龙去脉吗?

- 推销奖金的分配等问题。

他知道如何拿下大订单吗?

- 他是否曾扩大了业绩规模?他的下属能描述出来吗?他是否曾

提高了签约的速度?

- 有客户能证明这一点吗?
- 他了解营销吗?
- 在无人提示的情况下，他能否清晰地阐明品牌营销、营销拓展和销售力量支持这三者间的差异?

他知道何为渠道吗?

- 他是否真的了解销售渠道冲突和销售激励?
- 他是否有足够的工作热情?
- 威斯康星州的销售人员是早上5点就起床工作?还是日上三竿才起床吃午饭?
- 他有能力掌管国际业务吗?
- 他是否有敏锐的行业嗅觉?他做出反应的速度有多快?
- 他了解你面临的竞争形势吗?
- 他知道你正在做什么交易吗?
- 他曾参与公司的组织规划吗?

衡量管理能力的相关问题

管理下属

- 你希望找什么样的人来为你工作?
- 在面试中，你如何判断对方是否符合你的要求?

- 你会怎样带领他们取得成功?
- 你对他们进行评估的流程是怎样的?

做决策

- 你会通过什么手段来获取你做决策时必不可少的信息?
- 你是怎样做决策的?
- 你是如何召集员工会议的?有什么样的议事安排?
- 你怎样解决行动和承诺这两个问题。
- 你是如何系统化地掌握关于公司、客户和市场的相关情况的?

核心管理流程——请描述你是如何设计这个流程以及为何这样设计。

- 面试
- 绩效管理
- 员工整合
- 战略规划

指标设计

- 描述你公司主要的领先指标和滞后指标。
- 设计原则是否符合适当的比例?比如说,你是否会侧重时间指标而忽略质量指标?
- 有没有潜在的负面效应?
- 你过去会以怎样的流程来设计它?

组织设计

- 描述你所在机构现在的组织设计。
- 现行组织设计的优缺点分别是什么？
- 为什么有这些优缺点？
- 存在什么问题？这些问题如何得以解决？

交锋

- 如果你公司最优秀的高管要求扩大权限，你会如何应对？
- 你的升职和解聘流程是怎样的？
- 如何对付优秀员工改不掉的坏习惯？

较抽象的问题

- 他会全面系统地考虑问题吗？
- 我愿意为他工作吗？
- 他是诚实守信还是满嘴谎话？
- 他会即兴问我一些尖锐的问题，还是只提预先准备好的问题？
- 他能在多种多样的交流风格面前游刃有余吗？
- 他的表达能力是否相当出色？
- 他是否对公司的情况预先进行了了解？

中信“奇点系列”

奇点（Singularity），世界的形成之初，具有宇宙中所有物质的势能。
在互联网开创的全新时代，商业格局、人才变革、科技与创新都将迎来奇点。
奇点系列，最前沿的商界思想，最重量级的创投策略，带你领略未来的无限可能。

《从零到一：开启商业与未来的秘密》 **《联盟**：互联网时代的人才变革》
《创业维艰：如何完成比难更难的事》 **《支付战争**：互联网金融创世纪》